Come*fare*

John Peter
Sloan

ENGLISH DA ZERO

a cura di Sara Pedroni

MONDADORI

Graphic design & pictures: Sara Pedroni
The sound guy: Davide Perra
Special thanks to: Carol Visconti

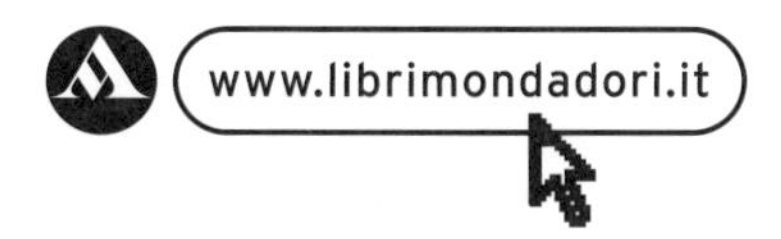

English da zero
di John Peter Sloan
Collezione Come*fare*

ISBN 978-88-04-63563-5

I edizione gennaio 2014

Anno 2014 - Ristampa 3 4 5 6 7

ENGLISH DA ZERO

È stato un anno difficile.
Ho perso mio padre e il mio migliore amico.

Anche loro erano insegnanti, alla propria maniera.

Mio padre mi ha insegnato a trattare tutte le persone alla stessa maniera,
a non giudicarle mai senza sapere la loro storia.
Avrebbe condiviso una tazza di tè con un vagabondo
e lo avrebbe trattato al pari della regina.

Ivano, il mio amato amico, mi ha insegnato a stare calmo
nei momenti difficili, a mantenere la dignità anche con pochi soldi
e a vedere il lato positivo in ogni situazione.
Lui aveva una filosofia molto simile a quella di mio padre:
non è necessario guardare le persone dal basso,
ma è essenziale non guardarle mai dall'alto.
Spero di essere in grado di mettere in pratica sempre
questa filosofia e spero che lo faccia anche tu.

Dedico questo libro,
che considero il migliore e il più importante che io abbia mai scritto, a loro.

Mi mancate entrambi, profondamente.

ATTENZIONE!

Prima di iniziare a leggere il libro che hai fra le mani, ti invito a visitare il sito

WWW.JOHNPETERSLOAN.COM

dove troverai una apposita sezione dedicata a "English da zero".

L'accompagnamento audio che ti metto a disposizione è tanto importante quanto le parole che sono scritte fra queste pagine. Questo significa che non è facoltativo ascoltare i contenuti audio, non devi considerarli come extra o come aggiunta; sono davvero essenziali per l'apprendimento. L'inglese parlato è molto diverso da quello scritto. Per esempio, sapresti leggere correttamente la parola *through*? Difficile, eh? Con il supporto audio ti farò esercitare e quello che fino a oggi ti sembrava impossibile, diventerà un gioco da ragazzi.
Come vedrai, nel libro ti darò più armi possibili per imparare a pronunciare correttamente le parole inglesi, ma cosa ci può essere di più efficace dell'ascolto? Inoltre, sai che ascoltare facilita la memorizzazione?

Quindi mettiti comodo, accendi le casse (oppure attacca le cuffie o gli auricolari... mica so quello che preferisci!), tieni a portata di mano una matita per gli esercizi e... *let's go, baby!*

INDICE

WEL(OME!

INTRODUZIONE

English da zero è il primo corso di inglese semplicissimo ed efficacissimo pensato per gli italiani. Perfino una scimmia ubriaca e tonta potrebbe imparare con questo metodo. Servendoci di una serie di **simboli** facilmente memorizzabili, di un **ordine** che dà la precedenza alle cose fondamentali e di uno speciale **codice di colori**, il tutto supportato da numerosi **contenuti audio** disponibili online, questo corso rivoluzionerà il modo in cui viene insegnato l'inglese in Italia. Il corso è pensato davvero **per tutti**, è adeguato a ogni età.

IL METODO SLOAN

Di cosa si tratta? Il "metodo Sloan" si basa sui *building blocks* (mattoncini da costruzione, come quelli dei bambini); ho scelto colori specifici per i blocchi, per dare più semplicità e logica al metodo. Esso consiste nel dare **poche parole alla volta** e solo parole fondamentali; è un sistema nuovo che considera essenziali la **logica** e la **velocità** di apprendimento. Un altro immancabile ingrediente è il **divertimento** perché quando uno si diverte impara più volentieri e con più facilità. Nelle pagine del libro troverai alcuni **regali** che ti concederò passo a passo, perché tu possa ampliare il tuo vocabolario e imparare parole nuove senza alcuno sforzo. Vedrai che imparerai molte cose senza nemmeno accorgertene. Troverai alcuni **FF** (*False Friends* cioè "falsi amici", che non sono quelle persone che ti chiamano solo quando hanno bisogno loro...) e **Sfatiamo il mito**, piccoli appunti che fanno crollare tutte le convinzioni sbagliate su alcune parole inglesi. Infine, non sai cosa ti aspetta nel **meraviglioso regno di...** no, questo non te lo posso dire ancora, lo scoprirai tu.

CODICE DI COLORI

Ora fammi spiegare bene cos'è il **colour code** perché è molto importante. È un sistema di codice di colori. Ho unito la forza dei *building blocks* alla facilità di memorizzazione dei colori per costruire le frasi; a ogni colore corrisponde un *block* che rappresenta una categoria di parole. Così è immediato saper costruire una frase corretta solamente utilizzando i mattoncini dei colori giusti.

Ecco tutta la lista *colour code* presente nel libro:

GOLD	Parole d'oro (le più importanti)
SCHIZO	Parole con più significati
QUESTION	Parole per fare domande
GREEN	Verbi
YELLOW	Avverbi
ORANGE	Aggettivi
RED	Sostantivi, nomi
BLUE	Pronomi personali (soggetto)
PINK	Articoli
BLACK	Preposizioni
PURPLE	Pronomi personali (complemento)
GIFT	Parole regalo

APPROCCIO

Per imparare l'inglese è importante avere la **mentalità giusta**. L'inglese non è una cosa scolastica complessa e noiosa, è un bellissimo grande *puzzle*. Pensa a quelle persone che comprano le riviste di cruciverba: sono disposte a spendere dei soldi per fare giochi enigmistici. L'inglese è **un enorme gioco enigmistico** gratis! Ed è divertente costruire frasi con le nuove parole che impari. Quindi se tu fin dall'inizio hai voglia di divertirti, hai già le scarpe giuste per correre su questa strada. Questo è l'unico approccio possibile per farcela **senza fatica e divertendoti**.

AUDIO

ATTENZIONE! Insieme alla lettura del testo scritto, è assolutamente fondamentale ascoltare l'accompagnamento audio, in cui io ti guido sulla via dell'apprendimento; l'ideale sarebbe ascoltarmi prima di iniziare a leggere le lezioni scritte, oppure puoi ascoltarmi durante la lettura. Puoi trovare i contenuti audio online su **www.johnpetersloan.com**. In questo modo io ti posso accompagnare attraverso questo corso e l'efficacia dell'apprendimento sarà raddoppiata. Quindi preparati con tutto l'occorrente per ascoltare i contenuti audio, prendimi la mano e ti farò vedere che il percorso non solo è semplice... ma pure divertente!

EXTRA ED ECCEZIONI

Perché tu possa imparare più velocemente possibile, durante il corso utilizzerò solo le parole inglesi più importanti. Troverai dei **contenuti extra e delle spiegazioni di eccezioni alle regole** grammaticali in una sezione apposita che si trova in fondo al libro. Sei libero di scegliere tu quando guardarla. Puoi approfondire il tuo vocabolario e scoprire nuove regole ed eccezioni grammaticali man mano che procedi. In alternativa puoi consultare questa sezione del libro alla fine del corso; in questo modo non viene interrotto il flusso dell'apprendimento e non sarai distratto dalle eccezioni o dagli approfondimenti, ma avrai comunque un **ricco tesoro** da consultare alla fine e aggiungerlo a tutto quello che hai già imparato. Decidi tu quando ritieni necessario consultarla. Per esempio, nelle lezioni ti parlerò della famiglia nominando i componenti più importanti (come madre, padre, fratello ecc.); poi nella sezione **EeE** ci saranno tutti gli altri (cugino, cognato, suocera, ecc.).

Riassumendo, per imparare bene e facilmente la lingua inglese faremo insieme questi passi:

1. **PRONUNCIA**: la tua prima conquista saranno i suoni inglesi;
2. **VOCABOLARIO E GRAMMATICA**: poco per volta, l'acquisizione di nuovi vocaboli aiuterà la scoperta della grammatica e viceversa;
3. **ESERCIZIO**: mettiamo in pratica le regole per imprimere bene tutto nella mente;
4. **DIVERTIMENTO**: sempre!

LADIES AND GENTLEMEN,

WELCOME TO THE REVOLUTION!

BLOCK 1

ONE

PRONUNCIATION

PRONUNCIA

I suoni inglesi

L'alfabeto inglese

Esercizi audio

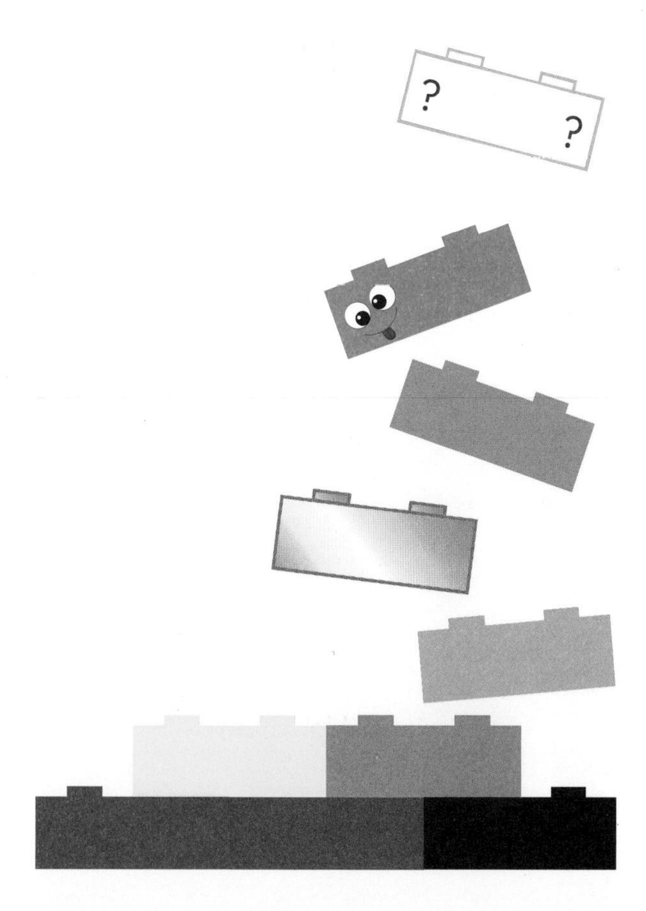

BLOCK ONE

PRONUNCIATION

I SUONI INGLESI

La pronuncia è un aspetto fondamentale della lingua inglese. Per me non è importante che tu riesca a parlare con un impeccabile accento britannico, anche perché io trovo un po' ridicolo quando uno straniero cerca di pronunciare le parole come un inglese DOC... e poi è così bello l'accento italiano, sarebbe un peccato rovinarlo. Però quello che trovo essenziale è che tu non faccia errori gravi nella pronuncia; alle volte rischieresti di non farti capire o, peggio ancora, di dire una parola intendendone un'altra, rischiando così di creare malintesi o situazioni imbarazzanti.

Il fatto che tu stia partendo da zero è una grande fortuna per te, perché così puoi imparare correttamente senza essere condizionato da conoscenze passate (magari sbagliate). Durante i miei lunghi anni di lavoro come insegnante spesso ho dovuto riparare gli errori di pronuncia.

In quasi tutti i dizionari puoi trovare i tradizionali simboli della fonetica. Personalmente li trovo piuttosto complessi, macchinosi e spesso incomprensibili, insomma davvero difficili da ricordare. Anche i miei studenti sono d'accordo con me, allora ho creato un sistema fonetico tutto mio basato su semplici simboli, immagini che potrai ricordare con molta facilità. Iniziamo con questi piccoli trucchetti che ti aiuteranno a parlare e a capire come un inglese.

Per seguire questa lezione è fondamentale ascoltare il contenuto audio sul sito **www.johnpetersloan.com**.

L'uomo che sta male

Si chiama così perché qualsiasi persona (italiana, inglese, spagnola o di qualunque altra nazionalità) quando sta male e si lamenta emette questo suono.

Serve per pronunciare parole tipo:
LEARN = imparare
WORD = parola
FIRST = primo

Impara la parola "primo".

Il dottore

Poi abbiamo il suono chiamato "dottore". Hai presente quando vai dal dottore? Mentre ti visita, ti chiede di aprire la bocca per guardarti in gola e ti appoggia sulla lingua quella specie di bastoncino del ghiacciolo. Ecco, quel suono che ti fa fare è fondamentale nella lingua inglese per pronunciare parole come:
CAR = macchina
FAR = lontano
BAR = bar
Fai bene attenzione: quando la R è l'ultima lettera non viene pronunciata!

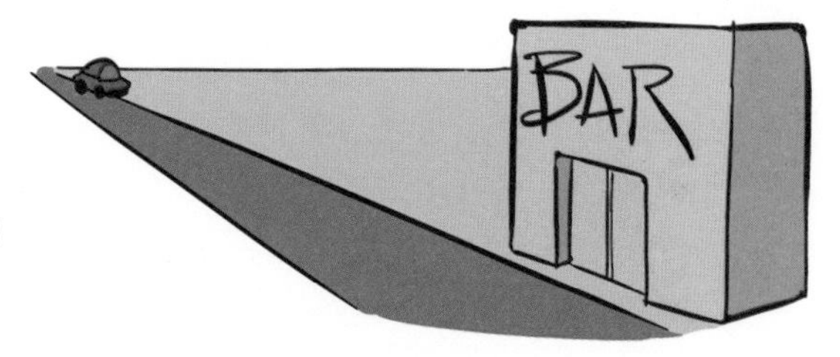

La mia macchina è lontana dal bar.

Mi stai seguendo con l'accompagnamento audio? È davvero importante ascoltare la pronuncia esatta di questi suoni, così imparerai senza sbagliare.

"S" serpente

In inglese ci sono due suoni diversi per la lettera S. Il primo è quello che io chiamo "serpente". Ne ricorda il sibilo, è una S prolungata e si usa in parole tipo:
SMALL = piccolo
STEP = passo
SON = figlio

SMOLL
STEP
SON

Fai un piccolo passo, figlio.

"S" mosca

L'altra S è quella della "mosca"; ha un suono più morbido e ricorda il ronzio di una mosca che vola. Troviamo questo suono in parole come:
PLEASE = per favore
FREEZE = congelare
BEES = api

PLEASE, FREEZE
BEES!

PLIIS
FRIIS

BII S

Per favore, congela le api! (*C'è già abbastanza miele.*)

Lo stadio

Hai presente quando allo stadio c'è un giocatore che sta per battere un rigore e tutto lo stadio aspetta impaziente di vedere se segna o no? Tutti attendono dicendo "oooh"... ecco, quello è il suono dello "stadio". Serve in parole tipo:
FOUR = quattro (non pronunciare la R)
MORE = più
DOOR = porta

Altre quattro porte.

TH TH con la nota

In certi casi le lettere TH si leggono appoggiando la lingua sugli incisivi ed emettendo un suono vibrato, infatti lo chiamo "con la nota". È presente nelle parole:
THOSE = quelli
THIS = questo
THAT = quello

THOSE OR THIS OR THAT?

Quelli o questo o quello?

TH TH senza nota (zeppola)

In altri casi le lettere TH si leggono appoggiando la lingua sui denti ed emettendo aria, senza alcun suono dalla gola. Si usa in parole tipo:
THINK = pensare
THIN = magro
THANK YOU = grazie

TH INK

TH IN

TH ANK IÙ

Penso che tu sia magro.
Grazie!

Ci tengo a ricordarti di continuare ad ascoltare i contenuti audio. Concentrati nell'ascolto ed esercitati insieme a me. Una volta impressi bene nella mente, sarai certo di non sbagliare ed eviterai pronunce "maccheroniche" tipiche (purtroppo) di tanti italiani.

Gli occhiali

In inglese è fondamentale pronunciare la lettera H quando c'è – ci sono pochissime eccezioni, per esempio *hour, honest, honour*. Se non fai sentire la H, rischi di dire delle parole con un altro significato. Il suono di questa lettera si deve sentire molto; è lo stesso suono che fai quando inumidisci gli occhiali col fiato per pulirli. Si usa in parole come:

HARRY = Harry
HATE = odiare
HOT DOG = hot dog

HARRY HATES HOT DOGS.

EIT

OT DOG

Harry odia gli hot dog.

Uomo confuso

Una volta ero in un bar e accanto a me c'era un signore confuso che non sapeva cosa ordinare; il suono che faceva era "eee", che già da solo è una parola inglese (significa "aria"). Troviamo questo suono in parole tipo:

THERE = là
HAIR = capelli
AIR = aria

THERE IS HAIR IN THE AIR.

Ci sono capelli nell'aria.

 W

Questa lettera da sola si legge "dàbol iù" che significa "doppia U", anche se si scrive come se fossero due lettere V attaccate. Si pronuncia come la U italiana in parole come:
WHY = perché
WHEN = quando
WHERE = dove

Perché? Quando? Dove?

Guaglio'

Sai che io amo la città di Napoli e i napoletani? Questo suono mi ricorda la fine della parola napoletana *guaglio'*; è come se ci fossero due lettere unite: una O e una piccola U insieme. Si utilizza per pronunciare parole come:
SO = allora
GO = andare
NO = no

Allora, posso andare? - No!

TV rotta

Hai presente quando si rompe la TV e non riesci a sintonizzare alcun canale? Quel fruscìo è il suono che chiamo "TV rotta" e lo trovi in parole come:
SHE = lei
SHORT = basso
SHY = timido

Lei è bassa e timida.

Dita in gola

So che non è molto bello pensare all'immagine che sto per descriverti, ma è molto efficace per una buona pronuncia. Se provi a metterti due dita in gola, il primo suono che emetti (senza vomitare, però) è perfetto per dire parole tipo:
CUT = tagliare
NUT = noce
US = noi

Taglia la noce insieme a noi.

Rubabiscotti

Se un monello ti ruba un biscotto da sotto il naso cosa gli dici? "Oi!" Ecco, questo va benissimo per pronunciare bene alcune parole inglesi, per esempio:
BOY = ragazzo
TOY = giocattolo
NOISE = rumore

I giocattoli del ragazzo fanno rumore.

Sveglia

Non parlo della mia sveglia del mattino perché la mia fidanzata Concy usa sempre modi molto bruschi per tirarmi giù dal letto. Ma se non sei come lei, quando

vuoi svegliare qualcuno che sta dormendo, gli tocchi un po' la spalla e sussurri "Ehi...". Lo stesso modo in cui si pronuncia la lettera A in alcune parole tipo:
TAKE = prendere
FACE = faccia
TODAY = oggi

T EI K
F EI S
TUD EI

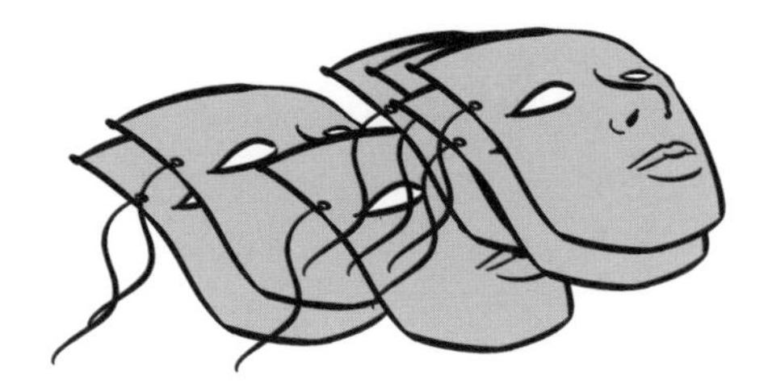

Prendi una faccia oggi.

Martello

Il suono che chiamo "martello" è in realtà l'urlo che fai tu quando il martello ti pesta un dito, se sei un po' distratto. "Au!" Che male! Utilizzalo per parole come:
NOW = adesso
OUR = nostro
COW = mucca

N 

A

C 

Adesso la nostra mucca!

Per me queste sono le più importanti. Ma ora ne stai per scoprire una che è davvero una bomba, in assoluto il suono più diffuso e importante della lingua inglese. È quello che incontrerai più di frequente, è in quasi tutte le parole inglesi che hanno più di una sillaba.

Schwa

Ho deciso di non associare nessuna immagine a questo suono perché è davvero unico; ricordati il suo nome originale, che sembra un gruppo hip-hop reggae. Ascolta bene la lezione audio per impararne la pronuncia. Come ti ho appena detto l'utilizzo della Schwa è diffusissimo, quindi potrei scrivere un elenco di parole lunghissimo come esempio. Ho scelto:
THE = la
BIGGER = più grande
BANANA = banana

B SCHWA NAN SCHWA

La banana più grande.

I + Schwa

Prova a mettere una I prima della Schwa, ora che hai imparato a pronunciarla bene. Otterrai così un nuovo suono che già da solo è una parola inglese; significa "orecchio". Trovi questo suono in parole tipo:
EAR = orecchio
NEAR = vicino
HERE = qui

THERE'S AN EAR NEAR HERE.

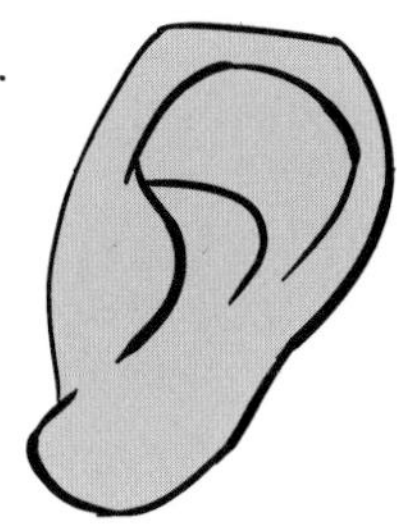

C'è un orecchio qui vicino.

L'ALFABETO INGLESE

Per imparare bene l'alfabeto è fondamentale ascoltare la lezione audio perché ci sono alcune cose da dire per ogni lettera. Innanzitutto devi sapere che l'alfabeto inglese è composto di 26 lettere (a differenza di quello italiano che ne ha 21). Qui sotto troverai l'elenco di tutte le lettere; accanto a ognuna c'è una parola italiana. Le lettere evidenziate col colore rosso in ciascuna di quelle parole ti sono di aiuto per ricordare la pronuncia esatta della lettera in inglese. Sei pronto con l'audio? Andiamo, let's go!

A	**Apple** (mela)	N**EI**
B	**Banana** (banana)	**BI**SCOTTO
C	**Car** (auto)	**SI**
D	**Donkey** (asino)	**DI**TO
E	**Elephant** (elefante)	**I**MBUTO
F	**Flower** (fiore)	**EF**FIMERO
G	**Giraffe** (giraffa)	**GI**RASOLE
H	**Hotel** (albergo)	**EIC** (con la C dolce)
I	**Italy** (Italia)	M**AI**

J	**Joke** (scherzo)	DEE**JAY**
K	**Koala** (koala)	O**KAY**
L	**Lion** (leone)	B**EL**LO
M	**Monkey** (scimmia)	**EM**ANUELE
N	**Nose** (naso)	P**EN**NA
O	**Octopus** (polipo)	CAP**OU**FFICIO
P	**Parrot** (pappagallo)	**PI**STOLA
Q	**Quality** (qualità)	**CHIU**SO
R	**Rose** (rosa)	**AR**PA
S	**Snake** (serpente)	**ES**SERE (con S serpente)
T	**Tortoise** (tartaruga)	**TI**NTO
U	**Umbrella** (ombrello)	LAGG**IÙ**
V	**Victory** (vittoria)	**VI**NO
W	**Window** (finestra)	**DÀBOL-IÙ**
X	**X-ray** (raggi x)	**EX**-FIDANZATO
Y	**Yo-yo** (yo-yo)	**GUAI**
Z	**Zebra** (zebra)	**SED** (con S mosca)

ESERCIZI AUDIO

Dopo questa grande quantità di informazioni sulla pronuncia inglese, ti invito a metterti alla prova. Vai sul sito **www.johnpetersloan.com** dove troverai alcuni esercizi per allenarti.

BLOCK 2

TWO

INTRODUCTIONS

PRESENTAZIONI

Presentazioni

Esercizio 1

Come ti chiami?

Quanti anni hai?

Stati d'animo

Come stai?

"The please disease"

Esercizio 2

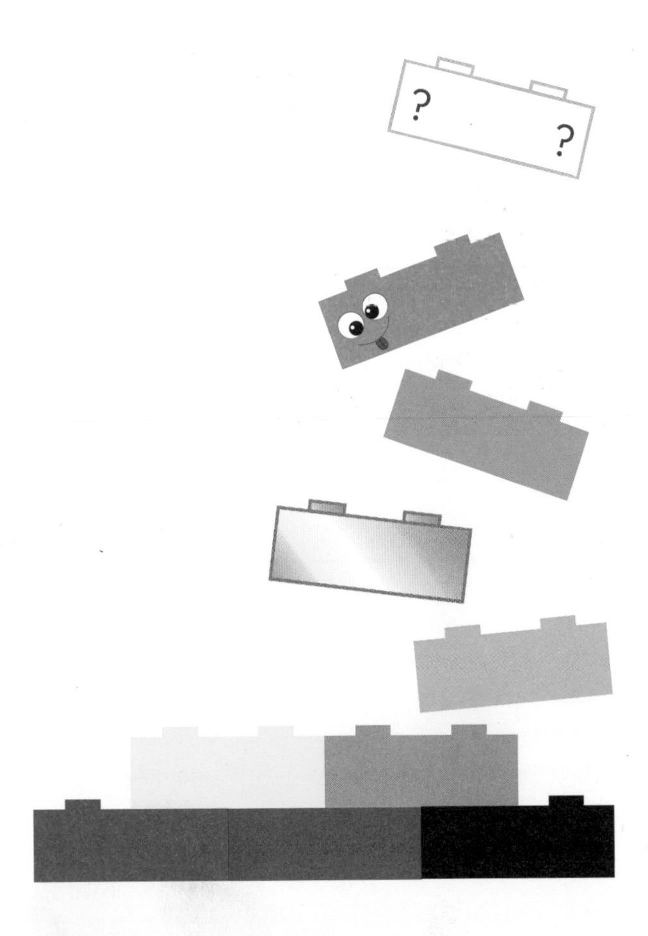

BLOCK TWO

PRESENTAZIONI

Il significato di queste parole è "io sono John". Non ho detto *My name is John* perché solo i bambini di sei anni parlano così, e se ci pensi è lo stesso anche in italiano. In Italia una persona non dice: "Salve, il mio nome è Roberto", ma semplicemente: "Sono Roberto", ed è uguale per noi inglesi. Quando mi presento dico: **Hello, I am John**. Questo è molto inglese.
Posso aggiungere **Nice* to meet you!**, che vuol dire: "Piacere di conoscerti".

HELLO, I'M JOHN.

Hai visto che invece di **I AM** ho messo **I'M**? Si tratta di una "forma contratta" e ha lo stesso significato della forma estesa, cioè "io sono".

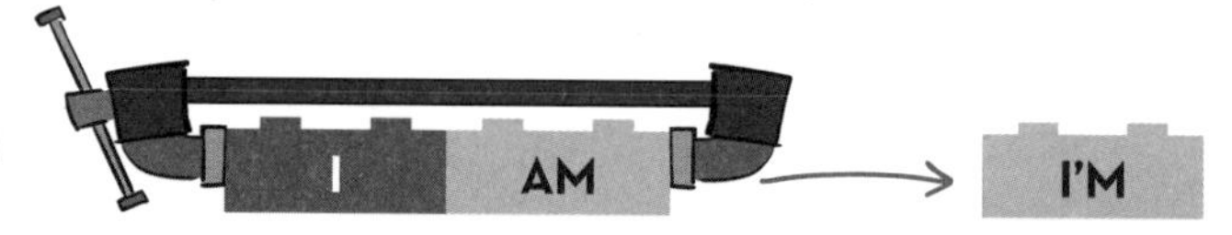

Ma anche in Inghilterra a volte si preferisce l'*American English*, che è molto più informale, e cioè **Hi, I'm John, what's up?** Adesso hai capito il gioco di parole da cui deriva il nome della famosissima *app* per gli *smartphones*!

HI, I'M JOHN. WHAT'S UP?

***Nice** è un aggettivo positivo (ma senza esagerare!) molto utilizzato che può riferirsi a qualunque cosa in inglese. Puoi usarlo per dire che la zuppa è buona, che qualcuno è simpatico, che il tempo è bello e così via.

Hello significa "salve", ed è un po' formale. *Hi* vuol dire "ciao", e lo si dice tra amici. Eccoti i principali termini inglesi usati per i saluti.
Hello = Salve, ciao, oppure per rispondere al telefono
Hi = Ciao (informale, utilizzato negli USA)
Good day = Buon giorno (molto formale, poco utilizzato)
Good morning = Buon giorno (al mattino)
Good afternoon = Buon pomeriggio
Good evening = Buona sera
Good night = Buona notte
Bye = Ciao (quando si va via)
Goodbye = Addio
Bye bye = Ciao ciao (da bambini)
See you soon / See you later = A presto / A dopo
Nice to meet you! = Piacere!

ESERCIZIO 1

Iniziamo con un esercizio di traduzione dall'italiano. Mi raccomando, non devi tradurre i nomi dei personaggi né sbirciare le soluzioni... Vai!

1. Ciao, sono Affranta, piacere di conoscerti.

   ....

2. Buongiorno Affranta.

   ....

3. Buon pomeriggio, sono Allegra.

   ....

4. Oh! Ciao Allegra, piacere di conoscerti.

   ....

5. Buona notte!

   ....

COME TI CHIAMI?

WHAT'S = qual è
YOUR = il tuo
NAME = nome

UoTS I  N M ?

WHAT è una *schizo word*. Cos'è una *schizo word*?

Per capirlo, prova a pensare alla parola "cosa" in italiano; ha più di un significato. Infatti si può utilizzare nelle domande (Cosa c'è? Cosa dici?) oppure può indicare un oggetto generico, una cosa appunto. (Per esempio: "Passami quella cosa".) Ma parliamo di cose serie: si può andare a bere una cosa, fare una cosa, ci sono cose giuste e cose sbagliate e poi se non capisci qualcosa dici "cosa?". Vedi che è una parola schizofrenica? Quindi quando vedi una *schizo word* vuol dire che devi stare attento, perché quella parola ha più di un significato.

- **What a goal!** (Che gol!)
Birmingham City 6 - 0 Manchester United
WHAT = CHE

- **What?!** (Cosa?!) Te lo dice qualcuno che non ha capito cos'hai detto (tranne quando è una donna italiana; se dice "Cosa?!" non è perché non ti ha sentito, ti sta dando solo l'opportunità di cambiare idea.)
WHAT = COSA

- **What's your name?** (Qual è il tuo nome?) In questo caso la parola *what* indica una scelta fra un numero illimitato di possibilità.
WHAT = QUALE

What's your name? ....
(inserisci "**io sono**" in inglese **+ il tuo nome**)
Non è sbagliato rispondere *My name is John*, ma è una frase super formale oppure è una frase considerata da bambini. In generale, quando ti chiedono il nome rispondi col tuo nome e basta, oppure "I'm + il tuo nome".

E adesso iniziamo con due *gold words* (parole d'oro) fondamentali:
AND (che vuol dire "e") e **FROM** (che vuol dire "da") e con queste parole posso già dirti da dove vengo.

Hello, I'm John AND I'm FROM Birmingham.
Salve, sono John e vengo da Birmingham.

"Sono di", cioè "vengo da". Attenzione, *I'm from* equivale all'italiano "vengo da".
Birmingham è la mia città ed è una città davvero molto importante. Abbiamo un sacco di cose: negozi, una piscina, ehm... altri negozi, e forse un'altra piscina (no, forse non c'è più). Poi una collina, da qualche parte...

Ora potrei anche dirti quanti anni ho, e parlando come adulti, non come bambini, non dico *Hello, I'm John, I'm from Birmingham and I'm 31 years old*, ma dico solo **Hi, I'm John, I'm from Birmingham and I'm 31**.

NOTA EDITORIALE

Attenzione! La Casa Editrice non si assume la responsabilità per le diverse bugie espresse da John in questo libro, per esempio riguardo alla sua età e a quanto è importante la città di Birmingham.

Adesso tocca a te. Completa questa presentazione di te stesso inserendo il tuo nome, la città di provenienza e la tua età, come ho fatto io.

Hi, I'm ...., ... and ....

Quando scrivi, ricordati di leggere a voce alta perché parlare aiuta a ricordare!

QUANTI ANNI HAI?

HOW OLD ARE YOU?

Ti ho appena confessato la mia età, io ho 31 anni.
I am 31. C'è una grande differenza nel modo di dire l'età in inglese e in italiano. Mentre in italiano si usa il verbo avere (*to have*), in inglese si usa il verbo essere (*to be*); è come dire che io "sono" un certo numero di anni, non che io "posseggo" gli anni.
I = io
AM = sono
31 = 31
Per sapere la tua età devo chiederti "quanto sei vecchio". Quando un inglese ti chiede quanti anni hai, ti dice **How old are you?**, cioè "quanto vecchio sei tu?"; non devi offenderti (mio nonno si offende sempre), perché si fa così anche con i bambini: nessuno sta insinuando che sei vecchio.
In questo modo conosciamo un nuovo aggettivo (*orange word*). Un aggettivo è una parola che descrive qualcosa o qualcuno; quindi, quando vedi in questo libro una parola arancione, sai che si tratta di un aggettivo, cioè di una parola che serve per descrivere.

OLD

OLD = vecchio

E impariamo anche la seconda *schizo word*!
HOW= come e quanto

Si tratta di una *schizo word* perché in *how much?* la parola *how* vuol dire "quanto", mentre in *how are you?* vuol dire "come".
Per esempio:
How is the coffee? = Com'è il caffè?
How hot is the coffee? = Quanto è caldo il caffè?

Nella domanda *how old are you?* la parola *how* significa "quanto".
Nelle pagine successive troverai i numeri in inglese, così sarai in grado di rispondere pronunciandoli esattamente. Adesso vediamo altre *orange words*.

STATI D'ANIMO

Eccoti adesso nuove *orange words* che descrivono l'umore, lo stato d'animo: in inglese, *moods*.

HAPPY Felice APPI	**SAD** Triste SAD	**BORED** Annoiato B D OOO
EXCITED Eccitato, emozionato EXAITID	**TIRED** Stanco TAIERD	**CRAZY** Pazzo CREI S I
ANGRY Arrabbiato ANGRI	**SHY** Timido AI SHHH	**DRUNK** Ubriaco DR NK AAA
CONFUSED Confuso CONFIUSD	**BORING** Noioso B RING OOO	**SCARED** Spaventato SK D EEE

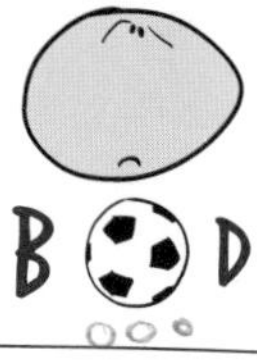

Questa è una bella occasione per farti andare per la prima volta in fondo al libro alla sezione EeE. Se vuoi farci un salto per ampliare il tuo vocabolario degli aggettivi *moods*, là ne troverai altri. Oppure potrai darci un'occhiata alla fine del corso, visto che siamo partiti alla grande. Dai, andiamo.

EeE 1 – Moods

COME STAI?

HOW ARE YOU?

Letteralmente vuol dire:
HOW = come
ARE = sei
YOU = tu?
In italiano si traduce con "come stai?"

La risposta classica inglese è **I'm fine, thank you**, "sto bene, grazie".
Thank you significa "grazie". Visto che noi inglesi cerchiamo sempre di accorciare le parole, siamo riusciti a farlo anche con *thank you* che diventa *thanks*.
Thank you = **thanks** hanno lo stesso significato.

"THE PLEASE DISEASE"

Per gli inglesi è fondamentale la buona educazione; noi ringraziamo sempre e in ogni occasione chiediamo cortesemente "per favore". In inglese quando fai una richiesta, qualsiasi richiesta a qualsiasi persona (per quanto banale) devi sempre dire **please**. Io chiamo questo atteggiamento "*The please disease*", cioè la "malattia del please". Per avere un breve elenco di parole di *courtesy* vai alla sezione EeE.

EeE 2 – Courtesy

Comunemente gli inglesi rispondono *I'm fine, thanks*. Mentre in Italia a volte ti prendono alla lettera... come se davvero importasse sapere come stai.

Adesso ti regalo un'altra parola d'oro: **BUT**.

BUT

Questa *gold word* vuol dire "ma" ed è molto importante che la tua pronuncia sia corretta. Perché spesso in Italia, quando si vede una parola con la U, viene pronunciata come A. *But* (suono dita in gola), spesso viene pronunciato come *bat*, che vuol dire "pipistrello". Comunque, se hai ascoltato bene i suoni della pronuncia nella lezione audio, non farai mai questa figura da zoologo.

Now, how are you?

Hello, I'm .... and I'm ....
(*nome*) (orange word *per dire come stai*)

ESERCIZIO 2

Scusami!!! Non ti ho ancora insegnato "scusami". In inglese si dice **sorry**, sia quando ti dispiace per qualcosa, sia quando vuoi richiamare l'attenzione di qualcuno (oltre a *excuse me*).

TOO
troppo

"Tania Cercamore"

Questa è Tania. Sta cercando il suo uomo ideale ma non lo trova. Quindi ha deciso di incontrare alcuni uomini, nella speranza di trovare un marito...

Completa i testi sotto le figure usando l'aggettivo corretto.

Sorry, but you're too...

....

Sorry, but you're too...

....

Sorry, but you're too...

....

Sorry, but you're too...

....

Sorry, but you're too...

....

Sorry, but you're too...

....

BLOCK 3

THREE

TO BE (PART ONE)

ESSERE (PRIMA PARTE)

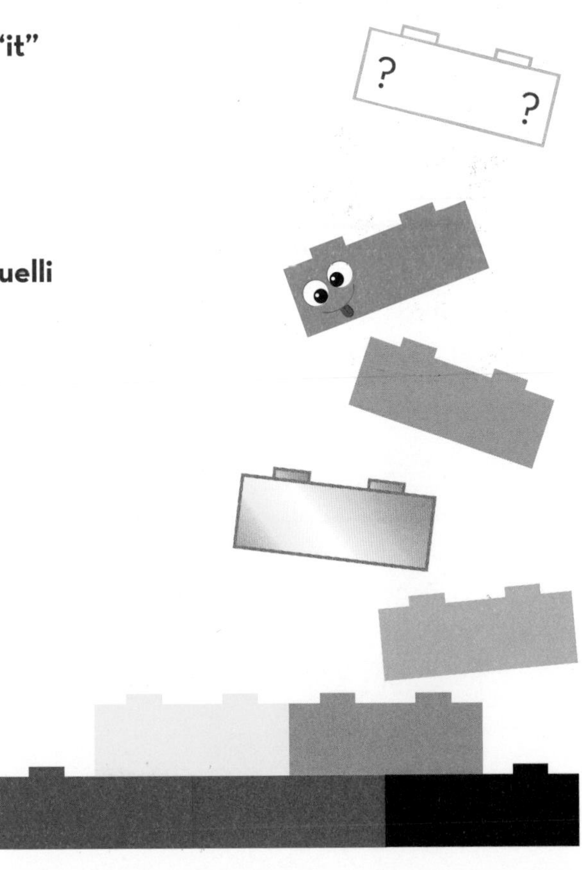

BLOCK THREE

TO BE (PART ONE)

VERBO ESSERE E PRONOMI

Essere o non essere, questo è il dilemma.
È la frase più famosa (che non ha capito nessuno) di Shakespeare.

In questa celebre frase troviamo una nuova importante *gold word*: **OR**.

OR

Significa "o, oppure" e si usa per indicare un'alternativa, una scelta tra una cosa oppure un'altra.
Si pronuncia con il suono dello stadio.

- **Me or you?** (Io o te?)
- **This or that?** (Questo o quello?)
- **Yes or no?** (Sì o no?)

Finora abbiamo parlato solo di me in prima persona e ne sono davvero molto lusingato... ma ora basta, tesoro. Parliamo anche di te. E di lei, di lui e di loro. Di tutti! Ma come si fa?

Nella tabella che ti ho preparato troverai l'elenco dei pronomi e tutta la coniugazione del *verb to be*, in forma estesa e contratta, con tutti i simboli della pronuncia. Passa alla pagina successiva e... *let's go!*

VERB TO BE

Pronome	Forma estesa	Pronuncia	Forma contratta	Pronuncia	Italiano
I = io	I AM	ÀI EM	I'M	ÀIM	Io sono
You = tu	YOU ARE	 IÙ	YOU'RE	 I	Tu sei
He = egli	HE IS	 I IS	HE'S	 IIS	Egli è
She = ella	SHE IS	 I IS	SHE'S	 IIS	Ella è
It = esso/a	IT IS	IT IS	IT'S	ITS	Esso/a è
We = noi	WE ARE	 UI	WE'RE	 UI SCHWA	Noi siamo
You = voi	YOU ARE	 IÙ	YOU'RE	 I	Voi siete
They = essi/e	THEY ARE	 TH EI	THEY'RE	 TH EI SCHWA	Essi/e sono

Attenzione! Come vedi, i pronomi "tu" e "voi" in inglese si dicono allo stesso modo, **YOU**. Solitamente si capisce dal contesto se è uno o l'altro; se invece l'interpretazione è ambigua, fai così:

Infatti:
Both = entrambi, tutti e due
All = tutti

OCCUPAZIONI

Hi, I'm John and I'm a teacher. (Ciao, sono John e sono un insegnante)
What do you do? (Tu cosa fai?)
Quando si fa questa domanda si vuole sapere che lavoro fai, di cosa ti occupi. Tu cosa fai? Sicuramente in questo momento stai studiando l'inglese, quindi:
You are a student. (Tu sei uno studente.)

La sezione EeE contiene un elenco di professioni, vai a dare un'occhiata e probabilmente troverai anche la tua.

EeE 3 – Occupations

Hi, I'm .... and I'm a ....

THE WONDERFUL WORLD OF "IT"

Il pronome **it** serve a indicare oggetti e animali, quando non ne conosci il sesso. Per esempio, se vogliamo descrivere il Colosseo possiamo rispondere alla domanda: "Com'è il Colosseo?"
It is old but beautiful.
Vedi che non ripetiamo "Colosseo", sappiamo a cosa ci stiamo riferendo. Gli inglesi raramente ripetono il sostantivo. Guarda questo esempio:
Tom: **I like pizza.** (Mi piace la pizza.)
Dave: **I love it!** (Io la amo!)
John: **I hate it!!!** (Io la odio!!!)
Qui **it** è la pizza, è quello l'argomento di conversazione. Non serve ripetere "pizza" ogni volta, perché tutti sanno a cosa si sta facendo riferimento. Questo pronome sostituisce ciò di cui si parla.

C'è chi pensa che per indicare gli animali si debba utilizzare sempre "it", in realtà se conosci il sesso del tuo cane o gatto, devi utilizzare "he" se è un maschio oppure "she" se è una femmina. Cioè, io non chiamerei mai il mio cane "it", a meno che non mi stia facendo proprio arrabbiare... in quel caso però lo chiamerei "scemo".
Per esempio, vedo un cavallo e dico:
What a beautiful horse! It is magnificent. (Che bel cavallo! È magnifico.)
Ho utilizzato **it** perché non ne conoscevo il sesso. Ma se mi avvicino e alzo la sua coda, mi tolgo il dubbio.
Così la mia frase diventa:
What a beautiful horse! She is magnificent. (Che bel cavallo! È magnifica.)

E sai che c'è un momento nella vita di tutti noi in cui non siamo né HE e neanche SHE, ma siamo chiamati IT? Alla nascita si dice "It's a boy!" se è nato un maschietto oppure "It's a girl!" se è nata una rompiballe.

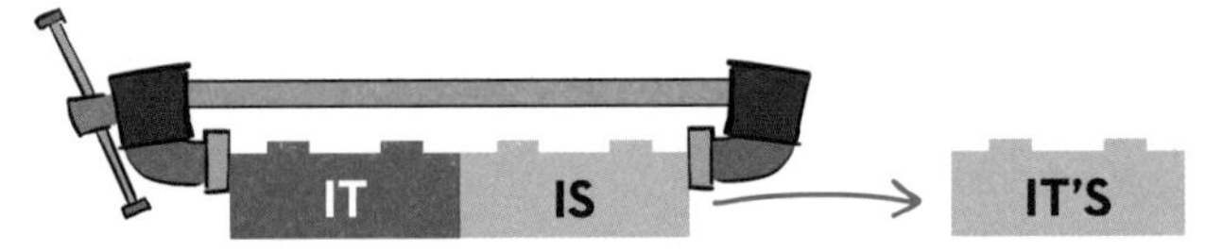

It si usa anche per indicare il tempo meteorologico e l'ora. Adesso diamo una rapida occhiata per vedere come si fa.

IL TEMPO METEOROLOGICO

Per chiedere com'è il tempo puoi utilizzare questa frase: **how's the weather?** (Com'è il tempo?) Si risponde così: **IT'S + condizione meteo**.
Nell'elenco che trovi nella pagina seguente, ci sono alcune parole utili per rispondere; se vuoi approfondire l'argomento e conoscere altre espressioni per dire che tempo fa, vai a dare un'occhiata alla sezione EeE.

It's hot = Fa caldissimo
It's warm = Fa caldo
It's cold = Fa freddo
It's sunny = C'è il sole
It's windy = C'è vento
EeE 4 – The weather

L'ORARIO

Per sapere l'ora, puoi chiedere: **what time is it?** Oppure, in modo più informale, **what's the time?**
Se sei per strada in Inghilterra e fermi qualcuno, per chiedere l'ora potresti rivolgerti a quella persona così: **Excuse me, have you got the time please?**
E come si risponde? La risposta è sempre: **IT'S + l'orario.**
Guarda questi esempi:
It's two o'clock = sono le due = 2.00
It's half past three = sono le tre e mezzo = 3.30
It's a quarter to five = sono le cinque meno un quarto = 4.45
It's twenty-five past six = sono le sei e venticinque = 6.25

ESERCIZIO 3

Benissimo, con quello che abbiamo appena visto traduci queste frasi dall'italiano all'inglese. Prova a scrivere i numeri per esteso, guardando gli esempi della breve lezione sull'orario. *Ready?*

1. Fa caldo e sono le tre. (3.00)

   ....

2. C'è vento e sono le due meno un quarto. (1.45)

   ....

3. Sono le sei e fa freddo. (6.00)

   ....

4. C'è il sole e sono le quattro e mezzo. (4.30)

....

5. Fa caldissimo e sono le due. (2.00)

....

ASPETTO FISICO

Adesso vediamo insieme altri aggettivi; ricordi? Sono le *orange words*. Questi aggettivi ti serviranno per descrivere l'aspetto fisico.

NORMAL Normale (corporatura) 	**OLD** Vecchio 	**YOUNG** Giovane 
FAT Grasso 	**THIN** Magro 	**TALL** Alto 
BIG Grande 	**SMALL** Piccolo 	**SHORT** Basso 

Nella sezione EeE in fondo al libro puoi trovare altri aggettivi che descrivono l'aspetto fisico.
EeE 5 – Physical appearance

QUESTO, QUELLO, QUESTI, QUELLI

This = Questo/a
Is = È

THIS IS

This è un pronome e un aggettivo dimostrativo. È singolare e si usa sia per il maschile sia per il femminile.
Quando agisce da pronome è il soggetto della frase (sostituisce la terza persona – *he, she, it*) e si usa per tutto: persone, animali o cose.
Per esempio:

This is Patrick. He's tall and happy. (Questo è Patrick. È alto e felice.)

This is Gemma. She's short and sad. (Questa è Gemma. È bassa e triste.)

Quando **this** è un aggettivo va affiancato al soggetto (ricordati che va sempre messo prima del sostantivo).
Per esempio:

This pig is fat but happy.
(Questo maiale è grasso ma felice.)

Nota importante!
Quando leggi in inglese, fallo sempre ad alta voce perché aiuta veramente a ricordare. Ci sono diversi modi per memorizzare le cose e uno di questi è proprio ascoltarsi.

Il plurale di **this** è **these**.
These = Questi/e
Are = Sono

Ovviamente essendo plurale cambia il verbo che lo accompagna, quindi *is* diventa *are*.
These are = Questi/e sono

FRIENDS
amici

Eccoti qualche esempio:
These are my two friends. Pino is tall and thin, Pedro is short and fat. (Questi sono due miei amici. Pino è alto e magro, Pedro è basso e grasso.)
These are my two friends, Rocco and Rocchina; she is big but he is small. (Questi sono due miei amici, Rocco e Rocchina; lei è grande ma lui è piccolo.)
These bananas are old. (Queste banane sono vecchie.)
These baskets are big. (Questi cesti sono grandi.)

Similmente a *this* e *these* si comportano:
That = quello/a, singolare
Those = quelli/e, plurale

Possono essere degli aggettivi, come in questi esempi:
That cat is brown. (Quel gatto è marrone.)
Those pigs are fat. (Quei maiali sono grassi.)

E possono essere anche dei pronomi, come in questi esempi:
That is a brown cat. (Quello è un gatto marrone.)
Those are fat pigs. (Quelli sono maiali grassi.)

ESERCIZIO 4

Guarda l'album fotografico della mia famiglia. Poi scegli l'aggettivo giusto per ogni immagine tra quelli elencati qui sotto. *Go!*

Worried - Relaxed - Scared - Angry

HERE
qui

This is my grandfather.

Here he is ....

This is my grandmother.

Here she is ....

This is my mother.

Here she is ....

This is my father.

Here he is ....

TROPPO, UN PO'

(Anche il mio caffè è troppo caldo.)
C'è una parola ripetuta due volte in questa frase, **TOO**. L'abbiamo già incontrata, ricordi? Perché si ripete? Perché è una *schizo word* e cambia il suo significato in base alla posizione all'interno della frase.

Se metti **too** alla fine della frase, significa "anche".
There is Umberto, too. (C'è anche Umberto.)

Se metti **too** prima di un aggettivo, vuol dire "troppo" (ma si usa solo in senso negativo). Guarda questi altri esempi:
Jack is too tall. (Jack è troppo alto.)
Dave is too fat! (Dave è troppo grasso!)

ESERCIZIO 5

"Tania Cercamore 2"
Come ti accennavo prima, c'è la mia amica Tania che sta cercando l'uomo giusto per lei. La ricerca continua...
Tania: «Forse sono stata troppo pignola l'altra volta, però hai visto che tizi si sono presentati? Io ci riprovo...»

Sorry, but you're too...

....

Sorry, but you're too...

....

Sorry, but you're too...

....

Sorry, but you're too...	Sorry, but you're too...	Sorry, but you're too...
....	....	....

In italiano la parola "troppo" prima di un aggettivo può avere però anche una connotazione positiva; in quei casi in inglese si usa **so** (che è una *schizo word, too*!). Traduce anche l'italiano "così".

You're so beautiful. (Sei troppo/così bella.)

She's so intelligent. (Lei è troppo/così intelligente.)

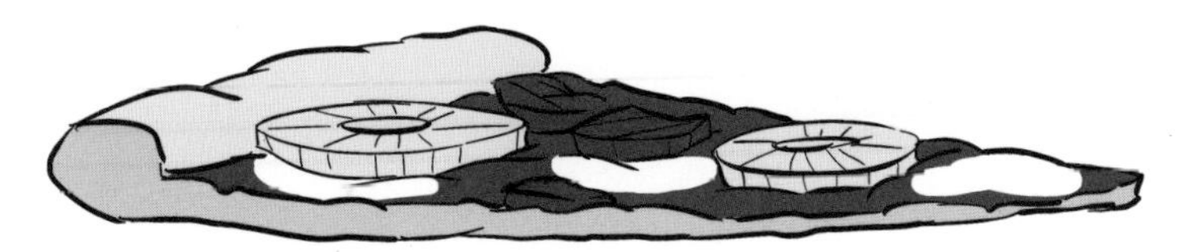

This pizza is so nice!

(Questa pizza è troppo buona!)

Gli altri significati della *schizo word* **so** sono:

QUINDI	**I'm hungry, so I eat.** (Ho fame, quindi mangio.)
ALLORA	**So, what's your name?** (Allora, come ti chiami?)
COSÌ	**Is it so?** (È così?)

SFATIAMO IL MITO!

Non si dice **so so** per dire "così così". Se a un inglese che ti chiede **How are you?** rispondi **so so** sai cosa capisce? Che sei uno straniero! "Così così" si dice **not bad**.

Ma non è che per forza tutto deve essere TROPPO: troppo bello, troppo brutto e così via. Qualcosa potrebbe essere "un po'".
In quei casi utilizzo l'inglese **a bit** mettendolo sempre prima dell'aggettivo.
Guarda questi esempi:
I'm a bit tired. (Sono un po' stanco.)
She's a bit sad. (Lei è un po' triste.)

ESERCIZIO 6

Ancora traduzioni, *let's go*!

1. Lei è troppo bella!

   ....

2. Tu sei un po' timido.

   ....

3. Loro sono troppo ubriachi, quindi siamo un po' arrabbiati.

   ....

4. Sono troppo felice!

   ....

5. Anche lui ha troppa fame.

   ....

6. Questo è Tom; è alto.

   ....

7. Quelli sono troppo arrabbiati.

   ....

8. Janet è troppo pazza.

   ....

9. Sono un po' stanco ma sono felice.

....

10. Allora, come stai?

....

Ora pensa a una persona che conosci bene; inserisci il suo nome e dimmi come sta (scegli una *orange word* tra i *moods* che hai imparato).

.... is ....
(*nome*) (*aggettivo*)

E adesso descrivimene l'aspetto fisico, con due *orange words*.

.... is .... and ....
(*He/She*) (*aggettivo*) (*aggettivo*)

Vediamo se riesci anche a scrivere una frase su quella persona usando **TOO**, **SO** e **A BIT** insieme agli aggettivi che vuoi tu.

.... is so .... but too .... and a bit ....
(*He/She*) (*aggettivo*) (*aggettivo*) (*aggettivo*)

ESERCIZIO 7

Leggi le frasi nella pagina seguente e descrivi la persona o le persone di cui si sta parlando usando il giusto pronome, il verbo essere, un aggettivo fisico e uno di stato d'animo come nell'esempio. *Ready? Go!*

STRONG
forte

LAZY
pigro

CONFIDENT
sicuro di sé

FF: non significa "confidente". Una persona con cui ti confidi si dice **confidant** (pronunciato alla francese).

1. Lui è incavolato perché la siepe è troppo alta (per lui) e non riesce a vedere la partita di tennis. Quindi...

   HE'S SHORT AND ANGRY.

2. Lui si è addormentato sulla sua fetta di torta durante la festa del suo novantesimo compleanno. Quindi...

3. Lei pesava solo 50 kg al suo matrimonio, ma sorrideva sempre. Quindi...

4. Lui ha bevuto troppo e stando in piedi parla col mio gomito. Quindi...

5. I giocatori della squadra di rugby erano troppo rilassati, riuscivano a passarsi la palla a 300 metri di distanza. Quindi...

6. Il ragazzino non aveva coraggio di parlare con la ragazzina. Quindi...

7. Io e te pesiamo 100 kg a testa, il telecomando è a un metro da noi ma la TV rimane spenta. Quindi...

8. Anche se mi viene da dormire sono contento. Quindi...

LIKE

Dedico un paragrafo a parte per una *schizo word*: LIKE
Qualche pagina fa c'era un esempio riguardo alla pizza. Tom ha detto:
I like pizza! (Mi piace la pizza!)
Quando **like** è un verbo, devi stare attento alla costruzione delle frasi perché in italiano e in inglese sono molto diverse. Mentre in italiano il soggetto della frase è la pizza, in inglese il soggetto è la persona a cui la pizza piace. Quindi ricorda:
PERSONA + VERBO TO LIKE + QUELLO CHE PIACE
Per esempio:
You like football. (Ti piace il calcio.)
They like music. (A loro piace la musica.)
She likes Bruce Springsteen. (A lei piace Bruce Springsteen.)

ATTENZIONE! Nel terzo esempio ho aggiunto una **S** alla fine della parola *like*. Questo perché *she* appartiene alla terza persona singolare; quindi ricorda sempre che con **he**, **she** oppure **it** devi utilizzare **LIKES**.

Ma *like* vuol dire anche qualcos'altro: **COME**. Si usa per paragonare due cose, persone, animali, posti e così via ed esprime una somiglianza, cioè si potrebbe tradurre con "simile a". Eccoti un esempio:
You are like a flower: young and beautiful. (Sei come un fiore: giovane e bella.)
He runs like a cheetah. (Corre come un ghepardo.)

ESERCIZIO 8

1. A te piace la pizza.

   ....

2. Io sono come te.

   ....

3. Mi piace il mio lavoro (*job*).

   ....

4. A lei piace Richard.

   ....

5. Lui mangia (*eats*) come un cavallo.

   ....

6. A lui piace il caffè.

   ....

7. A loro piacciono gli animali (*animals*).

   ....

8. A loro piace la mia vecchia piccola casa (*house*).

   ....

9. Lui balla (*dances*) come un orso (*bear*).

   ....

10. Loro sono come animali.

    ....

BLOCK 4

FOUR

TO BE (PART TWO)

ESSERE (SECONDA PARTE)

BLOCK FOUR

TO BE (PART TWO)

VERBO ESSERE – FORMA INTERROGATIVA

Ti ricordi bene la forma affermativa del verbo **to be**? Se vuoi ripassarlo, fai un salto al *Block 3* così puoi rileggerlo e rinfrescarti la memoria. Adesso ti spiego come puoi utilizzare il verbo **to be** per fare delle domande. In italiano, la differenza tra forma affermativa e forma interrogativa è solo nell'intonazione della frase. Basta aggiungere il punto di domanda in fondo. Per noi inglesi no, però è altrettanto semplice.

Guarda: 

You are Italian. (Tu sei italiano.) Forma affermativa. Sto dicendo che sei italiano.

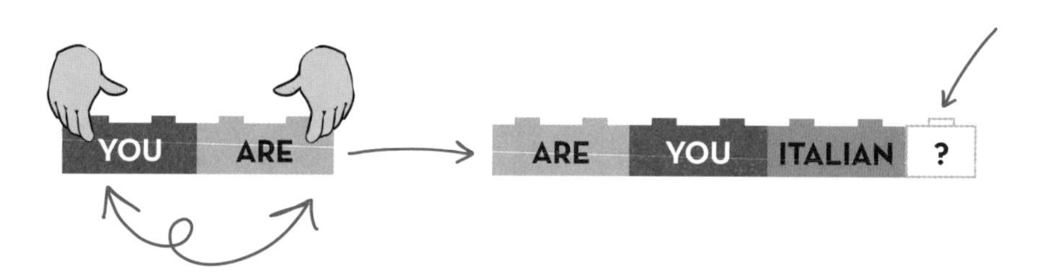

Are you Italian? (Sei italiano?) Forma interrogativa. Adesso ti sto facendo una domanda: sei italiano? **È automatico!** Basta invertire la posizione del soggetto e del verbo essere e posizionare in fondo alla frase il *building block* col punto di domanda.
È sempre così, ed è facilissimo.
Per passare dalla forma affermativa alla forma interrogativa, dunque, il verbo essere si scambia di posto con il soggetto (*I*, *me*, *you*, ecc.)

VERB TO BE

Forma affermativa	Forma interrogativa
I AM	**AM I ... ?**
YOU ARE	**ARE YOU ... ?**
HE IS	**IS HE ... ?**
SHE IS	**IS SHE ... ?**
IT IS	**IS IT ... ?**
WE ARE	**ARE WE ... ?**
YOU ARE	**ARE YOU ... ?**
THEY ARE	**ARE THEY ... ?**

Ricorda che è sempre importante ascoltare le lezioni audio per sentire la pronuncia esatta delle parole inglesi di questo libro.

VERBO ESSERE – FORMA NEGATIVA

Nella forma negativa, invece, bisogna aggiungere un nuovo mattoncino alla forma affermativa: **not**. Questo *block* va posizionato sempre dopo il verbo.

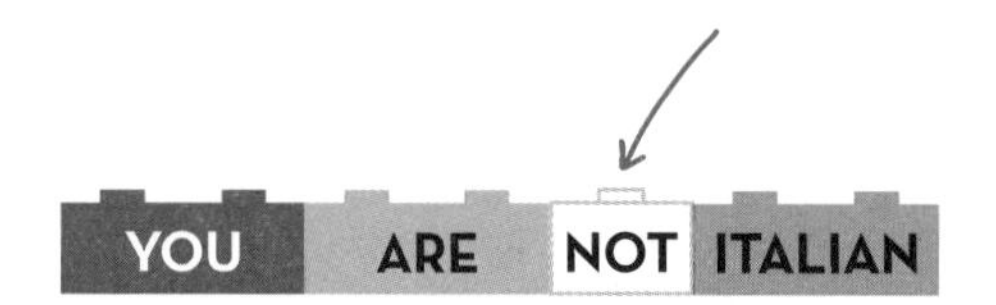

Sai che noi inglesi abbreviamo le parole appena possibile, no? Lo facciamo anche adesso, così:

VERB TO BE

Forma estesa	Forma contratta	Italiano
I AM NOT	**I'M NOT**	Io non sono
YOU ARE NOT	**YOU AREN'T**	Tu non sei
HE IS NOT	**HE ISN'T**	Egli non è
SHE IS NOT	**SHE ISN'T**	Ella non è
IT IS NOT	**IT ISN'T**	Esso/a non è
WE ARE NOT	**WE AREN'T**	Noi non siamo
YOU ARE NOT	**YOU AREN'T**	Voi non siete
THEY ARE NOT	**THEY AREN'T**	Essi/e non sono

Se vuoi, puoi andare alla sezione EeE in fondo al libro e vedere come si costruisce la forma interrogativa negativa del verbo essere.
EeE 6 – Verb to be (negative interrogative)

SHORT ANSWERS

Short answers significa "risposte corte". In inglese prevale la tendenza a risparmiare le parole e a evitare di ripeterle inutilmente. Un bell'inglese è un inglese conciso: meno parole usi, meglio è. Questo si vede molto chiaramente nelle *short answers* (*short* = breve, corto, *answers* = risposte).
Riprendiamo il nostro esempio sulla tua nazionalità.

Generalmente non si dà una risposta secca **yes** (sì) oppure **no** (no), né si sta lì a ripetere tutto quello che ti è stato chiesto. Quindi se qualcuno ti chiede *Are you Italian?*, la risposta perfetta non è **yes** oppure **yes, I'm Italian**, ma **yes, I am** (oppure **no, I'm not**).
Ricordati che nelle *short answers* affermative (*yes*) devi utilizzare sempre la forma estesa del verbo essere!

DA DOVE VIENI?

Where = dove
Are = sei
You = tu
From = da

? **WHERE** ? **ARE** **YOU** **FROM** **?**

Where è una *question word* (serve per porre domande) e significa "dove". Ma si può utilizzare anche nelle frasi affermative, non solo nelle domande.
Guarda questo esempio:
I'm from Birmingham, where the sky is always grey.
(Vengo da Birmingham, dove il cielo è sempre grigio.)

Hans (che vedi qui sopra) è un tedesco molto raro. Perché è un tedesco col senso dell'umorismo.

NAZIONALITÀ

Con la *gold word* **from** hai imparato a dire da dove vieni. Adesso con questi nuovi aggettivi potrai specificare qual è la tua nazionalità. Ogni aggettivo di nazionalità è una *orange word*.

I'm English, you're Italian (probably).

English = inglese (*from England*)
Italian = italiano (*from Italy*)
American = americano (*from the USA*)
French = francese (*from France*)
Spanish = spagnolo (*from Spain*)
German = tedesco (*from Germany*)

Nella sezione EeE in fondo al libro troverai altri aggettivi riferiti alla nazionalità, ti spiegherò anche la differenza tra United Kingdom e Great Britain e ti mostrerò come si è formata la nostra bandiera, la Union Jack.
EeE 7 – Nationalities

APPUNTAMENTO AL BUIO

Abbiamo fatto una ricerca con un'importante agenzia matrimoniale internazionale che si chiama "LovTel". I seguenti esempi sono chiamate telefoniche tra persone di diverse nazionalità.

NOTA EDITORIALE

La Casa Editrice precisa che l'Autore non ha effettuato alcuna ricerca in merito. A seguito di approfondite indagini, segnala inoltre che l'Autore risultava cliente "Platinum" dell'agenzia LovTel (titolo assegnato ai clienti più longevi), ma è stato recentemente espulso per le ripetute false informazioni fornite riguardo alla sua età e ad altri dettagli personali.

Vedrai che al telefono per presentarti in inglese, non si usa *I am* come quando ti presenti di persona, ma si dice **this is**, cioè "questo è" perché la persona con cui stai parlando non ti vede.

Jock: Hi, this is Jock, I'm Scottish and I'm a man, sono un uomo. Are you a woman, sei una donna? Perché se no mi serve un sacco di whisky.
Carmen: Hi, this is Carmen and yes, I'm a woman. I'm a Spanish woman.

Carmen e Jock si sono poi sposati e hanno fatto un figlio Amish e ora sono molto felici, hanno aperto il negozio di gonnellini più importante di Madrid.

Roberto: Hi, this is Roberto and I'm Italian.
Ping: Hi, this is Ping and I'm Chinese.
Roberto: E chi ti ha chiesto niente?

Jean-Pierre: Hello, this is Jean-Pierre and I'm French.
Charlotte: Hi, this is Charlotte and I'm French, too.
Jean-Pierre: Alors, pourquoi est-ce que nous parlons en anglais?
Charlotte: Je ne sais pas... je déteste les anglais!
Jean-Pierre: Moi, aussi! Surtout l'idiot qui vient de Birmingham.

George: Hello, this is George.
Marianna: Hi George, this is Marianna.
George: Are you Spanish?
Marianna: No, I'm not. I'm Brazilian.
George: Are you a woman?
Marianna: Sometimes.

John: Hello, this is Jo... Joshua.
Rosa: Hello Jo Joshua, posso chiamarti JoJo?
John: Yes, ok. Where are you from?
Rosa: I'm Italian. And you, JoJo?
John: I'm English ma parlo anche italiano.
Rosa: Oh no! Ho capito chi sei! Sei amico di Sgarbi e Biancofiore. Vattene, va! (e riaggancia)
John: Ogni volta finisce allo stesso modo...

TU O LEI?

Per fortuna in inglese il "lei" non esiste. Diamo solo del "tu". Infatti qui sotto leggerai un dialogo tra due persone che, pur non conoscendosi, si danno del "tu". In uno studio medico, il dottore conversa con una sua nuova paziente anziana...

Dottore: Salve, come ti chiami?
Betty: Sono Betty Brown.
Dottore: Quanti anni hai?
Betty: Non si chiede mai l'età a una signora! Ma come ti permetti?
Dottore: Mi serve sapere l'età per compilare la scheda!
Betty: Ok... 72.
Dottore: Come stai, Betty?
Betty: Sono vecchia e stanca.
Dottore: Anch'io!

Betty: Oh poverino... come ti chiami?
Dottore: Dottor Smith. Ho 65 anni.
Betty: E chi se ne frega dell'età, ti ho chiesto il nome.
Dottore: Dai, devo dire la mia età, se no come fa lo studente a rispondere alle domande su di me?
Betty: Ma non ci credo...
Dottore: Come vanno i tuoi occhi?
Betty: Gli occhi bene, ma perché me lo chiedi?
Dottore: Perché stai parlando con la lampada...
Betty: Ah, scusami. Gli occhi comunque vanno bene, sono solo ubriaca.
Dottore: Betty, perché sei qua?
Betty: Sto aspettando la pizza! Ho fame.
Dottore: Ascolta, questa è una clinica.
Betty: Vabbe', te l'avevo detto che sono ubriaca.
[*Arriva il pizzaiolo con la pizza*]
Pasquale: Per chi era la margherita?
Betty: Mia! Grazie.
Pasquale: Oh, ma è ancora qua questo pazzo che si crede dottore? Torna a casa! Ce l'hai una casa?
Dottore: Sorry... vado.

ESERCIZIO 9

Rispondi a queste domande riferite alla storiella che hai appena letto usando le *short answers* che trovi qui sotto.

Yes, she is. - No, it isn't. - Yes, they are. - No, she isn't - Yes, I am / No, I'm not. - No, he isn't - No, she isn't. - No, he isn't - No, it isn't - No, they aren't - Yes, she is. - Yes, they are - Yes, she is. - No, they aren't. - No, he isn't - Yes, she is. - No, he isn't. - No, she isn't

1. Is Betty young and tired?

....

2. Is the doctor drunk?

3. Are you young and beautiful?

4. Is Betty 72 years old?

5. Are Betty and the doctor in a clinic?

6. Is the lamp (*lampada*) a doctor?

7. Are Betty and the doctor tired?

8. Are Betty and the doctor in a pizzeria?

9. Is Betty hungry?

10. Is Betty old and tired?

11. Are Betty and the doctor in love?

12. Is Betty drunk?

13. Is the pizzaiolo drunk?

14. Is the doctor a lamp (*lampada*)?

15. Is the doctor 72 years old?

16. Is Betty 65 years old?

17. Is Betty old and young?

18. Is this story stupid?

E ADESSO DIAMO I NUMERI!

La prima cosa importante riguardo i numeri è imparare a contare fino a 20 con la pronuncia corretta, quindi è **fondamentale** ascoltare il file audio per saperli dire bene.

1	ONE	VON
2	TWO	TÙ
3	THREE	THRII
4	FOUR	F
5	FIVE	FAIV
6	SIX	SIX

7	SEVEN	SEVEN
8	EIGHT	ÈIT
9	NINE	NAIN
10	TEN	TEN
11	ELEVEN	ILÈVEN
12	TWELVE	TUELV
13	THIRTEEN	TH TIÌN
14	FOURTEEN	F TIÌN
15	FIFTEEN	FIFTIÌN
16	SIXTEEN	SIXTIÌN
17	SEVENTEEN	SEVENTIÌN
18	EIGHTEEN	EITIÌN
19	NINETEEN	NAINTIÌN
20	TWENTY	TUÈNTI

Alla fine del libro, nella sezione EeE, troverai anche altri numeri cardinali e scoprirai come si scrivono e pronunciano i numeri ordinali.
EeE 8 – Numbers

C'È, CI SONO

Abbiamo già visto insieme che **here** significa "qui, qua".
Adesso una nuova parola, **THERE**, che è una *schizo word.*

Dei suoi significati, il primo da imparare è "lì, là".
I'm here, you're there. (Io sono qui, tu sei lì.)
Il secondo significato di **there** è combinato col verbo *to be*. Guarda:
There is = c'è
There are = ci sono

There is a boy. (C'è un ragazzo.)
There are two boys. (Ci sono due ragazzi.)
Adesso seguimi attentamente:
There is a woman there. (C'è una donna là.)
There is a man here. (C'è un uomo qua.)
Un altro esempio:
There is a man here; there, there is a woman. (C'è un uomo qui; là c'è una donna.)

ATTENZIONE! La maggior parte degli studenti d'inglese rinunciano proprio adesso perché cominciano a perdere dei pezzi importanti. Devi sapere che stiamo rompendo il proverbiale ghiaccio e che, quando entrerai in acqua, l'inglese sarà bello e divertente. Ora facciamo un test soprattutto per capire a che punto sei. Se traduci esattamente 15 delle 20 frasi, vai avanti. Se il risultato è meno di 15 rileggi dall'inizio e non ti preoccupare! Ognuno procede secondo il proprio passo. Rileggendo per la seconda volta, tutto sarà più facile e veloce.
A differenza di tanti docenti italiani, io trovo che la traduzione sia molto utile per imparare. Una credenza diffusa in Italia dice: "Devi pensare in inglese". Ora ti dico una cosa importante: NON DECIDI TU QUANDO PENSARE IN INGLESE! È il tuo cervello che decide, automaticamente. Ma finché sei a un certo livello sarà molto difficile. Per il tuo cervello è naturale tradurre; è importante però che tu conosca la struttura della frase inglese, in modo da riorganizzarla mentalmente prima di parlare o scrivere.

ESERCIZIO 10

MEGA TEST

Sei pronto ad affrontare questo primo grande test? Prima di iniziare, ti regalo un'altra *schizo word*: **JUST**. Significa "solo, solamente" (**I'm just tired** – Sono solo stanco) ma anche "appena" e "proprio".
E adesso... buona traduzione!

JUST

I protagonisti sono il francese Alain Delon (A) e Gertrude (G) di origine tedesca. Non devi tradurre i miei commenti scritti fra parentesi!

1. A: Ciao!

   HI

2. G: Salve.

   HELLO

3. A: Sei bella! Come ti chiami? Di dove sei?

   YOU ARE BEAUTIFUL, WHAT'S YOUR NAME? WHERE ARE YOU FROM?

4. G: Gertrude, sono tedesca e annoiata, e tu?

   I'M GERTRUDE, I'M GERMAN AND BORED AND YOU?

5. A: Mi chiamo Alain Delon, sono giovane, felice e sono francese. *(Se era annoiata prima, chissà adesso!)*

   MY NAME IS ALAN, I'M YOUNG, HAPPY AND I'M FRENCH

6. G: Che ore sono, per favore?

   WHAT THE TIME IS IT, PLEASE?

7. A: C'è il sole!

IT'S SUNNY

8. G: Che ore sono, per favore?

WHAT TIME IS IT PLEASE?

9. A: Sono le 2.

IT'S 2 O'CLOCK

10. G: Grazie.

THANKS

11. A: Sei troppo magra. Hai fame? *(I francesi ci sanno fare con le donne...)*

YOU ARE TOO THIN. YOU HAVE HUNGRY

12. G: No, grazie Alain. Sono solo annoiata. *(Anche noi...)*

NO, THANKS ALAIN. I'M JUST BORED

13. A: Oh Gertrude! Io sono troppo matto e ubriaco. Forse ti amo.

OH G, I'M TOO CRAZY AND DRUNK, MAYBE I LOVE

14. G: Tu sei così romantico e così bello, ma sei francese. Mi dispiace.

YOU'RE SO ROMANTIC AND SO HANDSOME, BUT YOR'RE FRENC I'M SOR

15. A: Tu non sei ubriaca. Bevi, bevi!

YOU'RE NOT DRUNK, DRINK, DRINK

16. G: Fa caldissimo e c'è il vento. La notte è così romantica... Dov'è tuo fratello?

IT'S HOT AND IT'S WINDY THE NIGHT IS SO ROMANTIC, WHERE I YOU

17. A: I miei due fratelli non sono qui perché sono tristi e stanchi.

MY TWO BROTHERS ARE NOT HERE, BECAUSE THEY ARE SAD AND TIR

18. G: Io non sono ubriaca e non sono stupida, non sono tedesca e non sono una donna.

I'M NOT DRUNK AND I'M NOT STUPID, I'M NOT GERMAN AN I'M NOT A WOMAN

19. A: Allora, cosa sei?

SO, WHAT ARE YOU?

20. G: Sono annoiata.

I'M BORED

Questo è il testo del mio nuovo corto che presenterò a Cannes. A dire il vero non sono molto ottimista e neanche loro lo sono. Grazie lo stesso agli attori Tommaso Rossi (Alain Delon) e Immacolata Del Vento (Gertrude). Se ti interessa vedere il corto, il titolo è "La noia non ci fermerà".

BLOCK 5

FIVE

THE FRUIT MACHINE

LA SLOT MACHINE

Colori

Frutta

Esercizio 11

Plurale

Esercizio 12

Articoli

Forma interrogativa (Is there? Are there?)

Forma negativa (There isn't, there aren't)

Only you

Esercizio 13

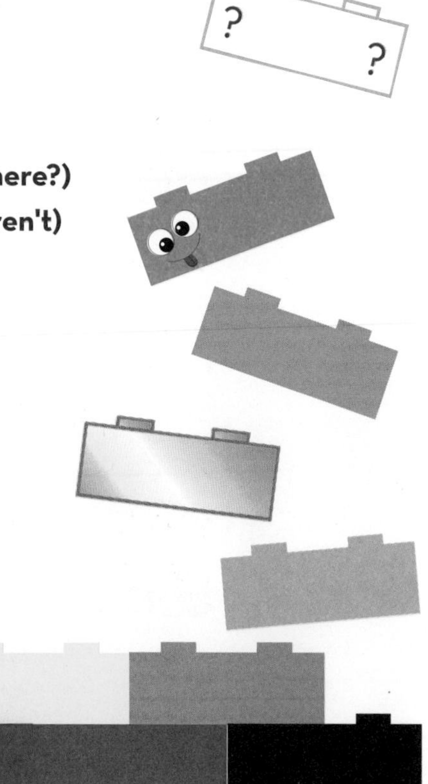

BLOCK FIVE

THE FRUIT MACHINE

CONGRATULAZIONI!

Se stai leggendo questa pagina vuol dire che hai superato la prima fase, la più difficile. Hai rotto il ghiaccio... e ora entriamo in acqua! Siccome io sono orgoglioso di te perché sei già arrivato fin qui, presto ti premierò portandoti in un posto davvero magico. E sarai il primo a andarci. È un regno delle meraviglie... basta, ho già detto troppo, andiamo avanti. Adesso ti regalo tutti questi colori.

COLORI

BLACK	Nero
BLUE	Blu
BROWN	Marrone
GREEN	Verde
ORANGE	Arancione
PINK	Rosa
PURPLE	Viola
RED	Rosso
WHITE	Bianco
YELLOW	Giallo

Ti prego di seguirmi con le lezioni audio perché è fondamentale che ascolti e ripeti. Ora per proseguire nel nostro percorso ci servono dei nuovi vocaboli. Con quali cominciamo? Be', solitamente quando un italiano va in Inghilterra e vede il cibo inglese va direttamente alla frutta. Quindi iniziamo da quella.

FRUTTA

Presta molta attenzione alla pronuncia! Ascolta il file audio sul sito.

Apple = mela
Banana = banana
Blackberry = mora
Cherry = ciliegia
Lemon = limone
Orange = arancia
Pear = pera
Plum = prugna
Strawberry = fragola

ESERCIZIO 11

Adesso però uniamo qualche colore alla frutta, ricordando che i colori sono aggettivi e in inglese tutti gli aggettivi vanno sempre messi prima del nome o sostantivo (*red word*); è una regola importantissima. Altrimenti rischi di dire qualcosa di molto confusionario per un inglese. Per esempio, acqua minerale naturale, in inglese è in ordine invertito, cioè: *natural mineral water*. E qua, invece di mela rossa c'è rossa mela, **red apple**.
Il primo te lo regalo io, gli altri li metti tu.

1. Una mela rossa.

   A RED APPLE
   ....

2. Una pera verde.

   ....

3. Una banana gialla.

....

4. Una ciliegia rossa.

....

5. Una mora nera.

....

6. Una fragola rossa.

....

7. Un limone giallo.

....

8. Una prugna viola.

....

Nella sezione EeE ti ho scritto anche una breve lista di verdure.
EeE 9 – Vegetables

There is an apple. (C'è una mela.)

E ora buttiamoci dentro i colori, dai.
There is a red apple. (C'è una mela rossa.)

PLURALE

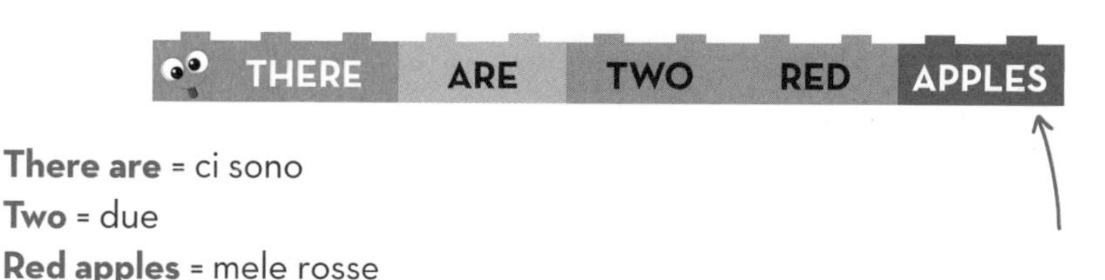

There are = ci sono
Two = due
Red apples = mele rosse

Innanzitutto **there are** perché c'è più di una mela. E poi, hai visto che ho aggiunto una **S** in fondo alla parola *apple*? Aggiungere quella **S** serve per mettere al plurale i sostantivi.
One apple – Two apples (Una mela – Due mele)
One banana – Two bananas (Una banana – Due banane)
Per quasi tutte le parole è così (si aggiunge la **S** alla fine e basta), ma ci sono delle eccezioni e le trovi alla fine del libro nella sezione EeE.
EeE 10 – Plurals (exceptions)

Ora guarda il disegno e come descrivo quello che c'è:

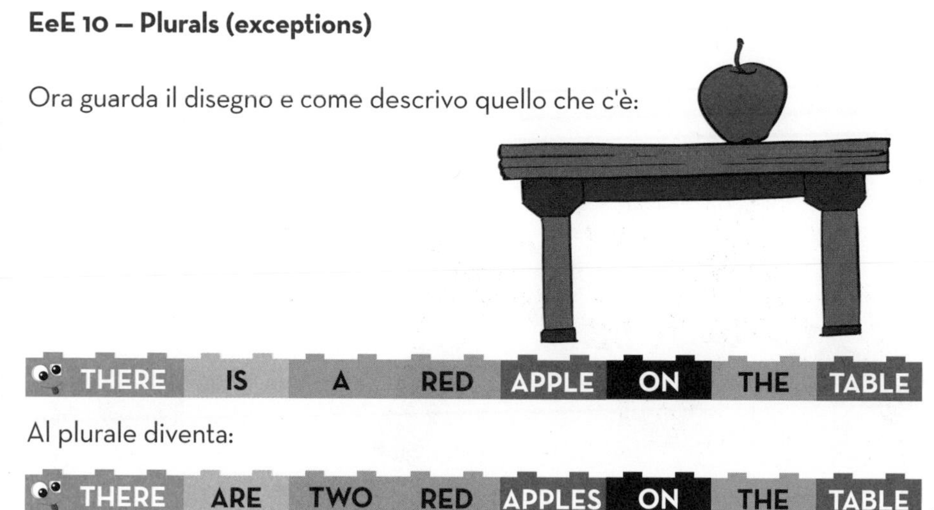

Al plurale diventa:

THERE ARE TWO RED APPLES ON THE TABLE

Hai notato che ci sono alcuni mattoncini nuovi? Iniziamo da quello nero.
Dopo *from*, questa è la seconda preposizione su cui ci soffermiamo: **ON**. Significa "su, sopra" quando qualcosa è appoggiata con contatto su qualcos'altro.

Nel nostro esempio la mela tocca la superficie del tavolo, quindi utilizzo **on**.

ATTENZIONE! Mentre in italiano gli aggettivi vanno concordati col vocabolo a cui fanno riferimento, cioè si mettono al maschile o al femminile, al singolare o al plurale, in inglese gli aggettivi rimangono sempre gli stessi. Non puoi dire *reds* se vuoi dire "rosse", ma rimane invariato *red*.
A proposito di aggettivi, nella sezione EeE troverai un approfondimento sull'ordine di successione degli aggettivi.
EeE 11 – Adjectives

There are two red apples on the table.

No, NO, NO!!! NON CE LA FACCIO PIÙ!
Ma perché c'è sempre un tavolo nei corsi si inglese? Ma cosa ci fa un gatto sul tavolo? Chi metterebbe mai un gatto sul tavolo? E poi chi dice *"Open the window"*? Alzati, apri la finestra e basta! Mi sono rotto di questo cavolo di tavolo!

NOTA EDITORIALE
Sì, John, certo hai ragione; chi metterebbe mai un gatto sul tavolo? Perché tutti mettono le mele per terra, vero?!

ora

pavimento

cesto

Now there are two red apples on the floor.

Ora, con questa struttura, se vogliamo mettere delle pere, che sono verdi, come facciamo? Prova a completare queste frasi.

There is a GREEN PEAR on the floor.
E il plurale?

There are two ....S on the floor.

E se ci sono tre banane gialle nel cesto?

There are .... in the basket.

E se invece troviamo quattro prugne viola nel cesto?

....

E adesso possiamo fare una *fruit salad* (macedonia)!

ESERCIZIO 12

Adesso giochiamo con la *fruit machine* e vediamo che combinazione di frutta esce. Sei pronto a descriverla? Usa correttamente *there is* oppure *there are* e non dimenticarti di indicare anche il colore della frutta.

THERE ARE ....

THERE IS A WOMAN WITH JOHN.

THERE ARE TWO WOMEN WITH JOHN.

PUM!

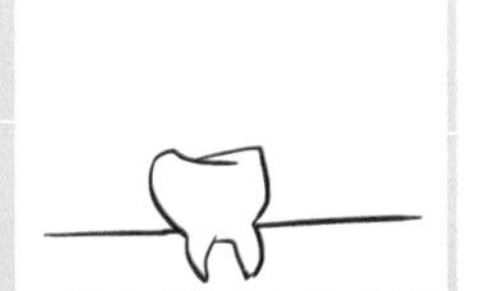

THERE IS A TOOTH ON THE FLOOR.

THERE IS A FOOT ON JOHN'S HEAD.

NOW THERE IS A FOOT IN JOHN'S FACE.

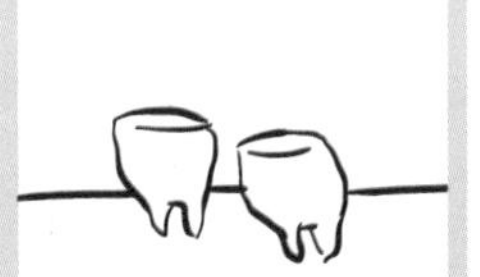

NOW THERE ARE TWO TEETH ON THE FLOOR.

CONCY IS HAPPY BUT JOHN IS NOT.

ARTICOLI

Hai notato che in tutti gli esempi delle pagine precedenti quando c'era un frutto solo non ho utilizzato il numero 1 (*one*) ma **A** oppure **AN**? Si tratta dell'articolo indeterminativo ed equivale all'italiano "un, uno, una".

There is an apple on the floor. There is a banana in the basket.
Qual è la differenza tra *A* e *AN*? Perché con *apple* ho scelto *AN* e non *A*? Perché la parola *apple* inizia con una vocale, cioè sarebbe scomodissimo dire *there is a apple* oppure *there is a orange*. Quindi mettiamo la "N" e diciamo *there is an apple* (c'è una mela) e *there is an orange* (c'è un arancio).
Ma la maggior parte delle parole iniziano con una consonante, quindi lì si usa solo *A*. Per esempio:
There is a banana in the basket. (C'è una banana nel cesto.)
Adesso vediamo **THE vs A/AN**.
THE, che corrisponde all'italiano *il, lo, la, le* (e tutti gli altri sette nani) è l'articolo che si usa per indicare una cosa specifica, proprio quella. La differenza tra l'articolo determinativo (*the*) e quello indeterminativo (*a/an*) è uguale all'italiano.
An apple is on the plate. (Una mela è sul piatto.) È una mela qualsiasi.
The apple is on the plate. = la mela è sul piatto. Intendo esattamente quella mela lì, so che sto parlando proprio di quella succulenta e gustosissima mela che ho comprato stamattina.
Guarda quest'altro esempio:
I go to the cinema. (Vado al cinema.)
Intendo esattamente quel cinema lì, so che sto parlando proprio di quel cinema vicino casa, dove vado sempre.
Invece, se dico:
I go to a cinema. (Vado a un cinema.)
Intendo dire che voglio andare a vedere un film, ma non so ancora in quale cinema. Magari sono in una zona della città che non conosco e mi fermo nel primo che trovo.

Comunque se ci pensi anche in italiano funziona così. Se mi dici "vado al bar" so già di che bar stai parlando. Se dici "vado in un bar" non importa che bar sia, uno vale l'altro.

FORMA INTERROGATIVA (IS THERE? ARE THERE?)

Come ho già detto, in italiano, la differenza tra forma affermativa e forma interrogativa è solo nell'intonazione della frase; aggiungendo il punto di domanda in fondo ottieni una frase interogativa. Anche in inglese è semplice.

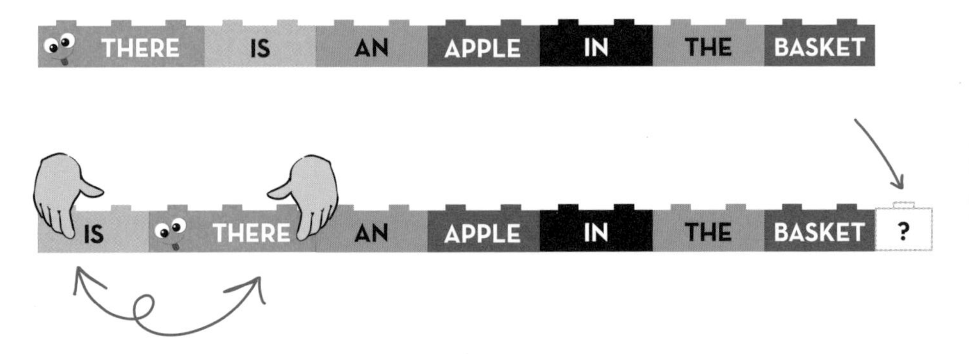

There are two apples in the basket.
Are there two apples in the basket?

Hai visto cos'è successo? In ogni frase, il verbo (*is* = è, nella prima frase e *are* = sono, nella seconda) ha invertito la sua posizione con il mattoncino *there*.

FORMA NEGATIVA (THERE ISN'T, THERE AREN'T)

Se voglio dire che qualcosa non c'è, non devo fare altro che volgere al negativo il verbo essere (*to be*), aggiungendo il mattoncino **NOT**; se scegli di utilizzare la forma contratta, è ancora meglio! Ti ricordi come si fa? Vai al *Block 4*.

Is there a strawberry? – Yes, there is.
Is there a table? – No, there isn't.
Nella sezione EeE troverai la forma interrogativa e negativa insieme.
EeE 12 – Isn't there ... ?

ONLY YOU

Ricordi la *schizo word* **just**? Uno dei suoi significati era "solo, solamente". In inglese puoi utilizzare anche un'altra parola per dire "solo, solamente, soltanto": **ONLY**. Leggi questo romantico esempio:
John: Concy, I love only you! (Concy, amo solo te!)
Concy: Davvero?!
John: Certo... canzone meravigliosa! Only youuuuu...

ESERCIZIO 13

SHOPPING IN LONDON

Concy è incredibile. Abbiamo deciso di fare un weekend a Londra (diciamo che "abbiamo deciso", anche se io non ho mai deciso niente da quando la conosco). Doveva essere una vacanza, giornate di riposo; ma lei si è chiusa nell'appartamento, sta facendo le pulizie da tre ore e io sono fuori, nel centro di Londra, a King's Cross. Mi ha mandato a fare la spesa.
Entro dal fruttivendolo.

SHOP
negozio

POLICE
polizia

*** * * Part 1**
J = John
G = Gigi, the greengrocer

perché *(solo nelle domande)*

molto

Ora traduci i dialoghi:

J: Buon giorno. GOOD MORNING

G: Buon giorno. Come stai? GOOD MORNING, HOW ARE YOU?

J: Bene, grazie. E tu? ....

G: No, my dog is in hospital, my wife is crazy, there is no money in my pocket, my face is ugly...
J: Ma sei italiano?
G: Sì, perché?
J: Oh mamma mia, adesso devo trovare un altro fruttivendolo...
G: Ma perché? Ho tutta roba fresca, appena arrivata.
J: Sì, ma sto facendo una lezione di inglese. Dai, ci vediamo dopo.

*** * * Part 2**

Ci ho messo 20 minuti a trovare un altro fruttivendolo. Entro e dico al tipo:

J: Sei inglese? ....

G: Sì, perché? Sei la polizia? ....

J: Banane. ....

G: Scusami?! ....

J: Voglio due banane. ....

G: Per favore. ....

J: Per favore cosa? ....

G: Voglio due banane PLEASE! ....

J: Ma chi è il fruttivendolo qua? Io me ne vado...

Mentre camminavo lungo le strade di Londra cercando un altro fruttivendolo, mi ha chiamato Concy.

C: Ciao amore, dove sei?
J: Eh, sono a Londra! Mi ci hai portato tu.
C: Hai preso tutte le cose della lista della spesa?
J: Eh, tutte no. Ma ho quasi preso le banane.
C: Ma sei fuori da DUE ORE!
J: Eh... non ti sento bene... sai com'è quando mi chiamano dall'Inghilterra...
C: *[Riattacca]*

*** * * Part 3**

Dopo un'altra mezz'ora ho trovato un altro fruttivendolo. Entro nel negozio.

G: Buon pomeriggio, signore. ....

J: Senti, non sono qua per litigare, offenderti o niente di simile. Capisci?

G: Sì, ho capito. Vai!

J: Banane? ....

G: Sì, ci sono banane in questo negozio. ....

J: Quanto sono grandi? ....

G: Sono molto grandi e molto marroni. ....

J: Marroni? Perché sono marroni? ....

G: Perché sono vecchie. ....

[John guarda le banane]
J: Non sono marroni, sono nere! Quanto sono vecchie? ....

....

G: Molto vecchie.

J: Dammi (*give me*) due mele verdi, per favore.

G: Non ci sono (*there are no*) mele verdi in questo negozio. Ci sono solo mele marroni e nere.

J: Ok, ok. Dammi due pere verdi, per favore.

G: Ok.

J: Quelle (*those*) pere sono bianche! Perché?

Il fruttivendolo mi ha guardato e mi ha detto: "Mi sa che hai sbagliato negozio!".
J: Non penso proprio...

Ma ho voluto controllare. Sono uscito attraversando uno sciame di vespe e ho letto l'insegna: JOE'S ROTTEN SHOP (solo roba marcia).

Però sono dovuto rientrare e ho chiesto: "Ma perché vendi la roba marcia?".
E lui mi guarda con un mezzo sorriso e dice:
G: Io non vendo la frutta marcia.
J: Perché si chiama "negozio", allora?
G: No, io non vendo nel senso che non compra nessuno!
Non è per mancanza di impegno.

J: Ma chi è il tuo consulente di business?
G: Il tipo che mi porta la frutta.

Mentre cercavo il quarto fruttivendolo, mi ha chiamato di nuovo Concy.
Mi sono subito tappato il naso e ho risposto:
J: Mi dispiace, ma l'utente che cercavi si sta impegnando tantissimo a portarti a casa quello che hai chiesto. È vero che ci sta mettendo tanto tempo, ma se tu continui a chiamare e a rompere i c***...

[Concy riattacca]

TO BE CONTINUED...

BLOCK 6

SIX

THE FAMILY

LA FAMIGLIA

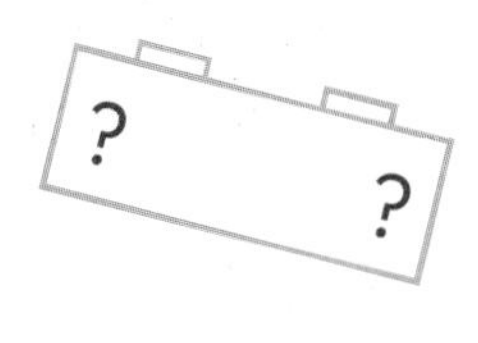

BLOCK SIX

THE FAMILY

WITH OR WITHOUT YOU

Bono Vox, che in latino vuol dire "irlandese pazzo", ha scritto un pezzo che secondo me è geniale: "With or without you", che vuol dire "con o senza di te".

Parla di quella situazione in cui siamo passati tutti, dai. Hai presente quando sei con una persona, e non puoi vivere con quella persona, ma non puoi nemmeno vivere senza. Prendiamo la mia Concy per esempio che, essendo italiana, a volte mi rende la vita difficile. Quando mette il muso, non parla ed è brutto; ma perlomeno non parla. Però, se io non avessi lei, cosa farei? (A parte divertirmi sempre e in pace con gli amici?)

NOTA EDITORIALE

Dai, qui dobbiamo dare ragione a John. Gli irlandesi sono un po' strani con le loro storie sugli elfi e draghi.

NOTA EDITORIALE

La Casa Editrice si dissocia dalla precedente nota editoriale, la quale è stata redatta dall'Autore stesso. Riteniamo invece gli irlandesi una razza molto nobile e che il loro mondo fantasy sia stato un fondamentale contributo alla letteratura mondiale.

I live with Concy. (Io vivo con Concy.)

Questa è una *schizo word*, perché **LIVE** = vivere, ma **LIVE** (si legge **laiv**) vuol dire anche "dal vivo".
Ciò che la rende una parola *schizo* è soprattutto la pronuncia, perché *live* pronunciato **liv** significa "vivere, abitare". Per esempio:
I live in Milan. (Vivo a Milano.)
Occhio alla preposizione! È corretto utilizzare **IN** (anche se in italiano si dice "a").
Adesso è davvero **fondamentale** iniziare a ricordare questa piccola regola riguardo ai verbi; più avanti approfondiremo meglio l'argomento, per il momento è importante che memorizzi questo:
nel caso dei pronomi personali *I, you, we, they* il verbo non cambia; nel caso dei pronomi della terza persona singolare (*he, she, it*) invece sì. Il cambiamento è piccolo ma indispensabile: basta aggiungere una **S** alla fine del verbo. Ricorda, **solo** alla terza persona singolare. Fai così:

Io vivo	**I LIVE**
Tu vivi	**YOU LIVE**
Egli vive	**HE LIVES**
Ella vive	**SHE LIVES**
Esso/a vive	**IT LIVES**
Noi viviamo	**WE LIVE**
Voi vivete	**YOU LIVE**
Essi/e vivono	**THEY LIVE**

cantare

Mentre se la parola **live** viene letta **laiv**, vuol dire "dal vivo".

Vivo per cantare dal vivo.

CITTÀ

E tu dove vivi? Vediamo un po' di belle città dove abitare.
Qui sotto trovi un elenco di nomi di città italiane tradotte in inglese. Per sentire bene la pronuncia, ascolta il file audio su **www.johnpetersloan.com**.

Roma	**ROME**	R uM
Milano	**MILAN**	MILÀN
Firenze	**FLORENCE**	FLORENS
Venezia	**VENICE**	VENIS
Napoli	**NAPLES**	N POLS
Torino	**TURIN**	T RIN

E anche qualche città europea:

Londra	**LONDON**	LONDON
Parigi	**PARIS**	PARIS
Berlino	**BERLIN**	B LIN
Atene	**ATHENS**	ATHENS
Praga	**PRAGUE**	PRAG
Barcellona	**BARCELONA**	B SIL uNA

fortunato

ESERCIZIO 14

grigio

Riprendiamo con le traduzioni. *Go!*

1. Salve, io vivo a Roma.

   ....

2. Tu vivi a Firenze. Piacere di conoscerti.

   ....

3. Noi viviamo a Venezia, sei arrabbiato?

   ....

4. Voi vivete a Londra. Siete felici?

   ....

5. Loro vivono a Napoli, loro sono fortunati.

   ....

6. Lei vive a Parigi. Parigi è bella.

   ....

7. Lui vive a Berlino, lui è innamorato.

   ....

8. Lei vive ad Atene, fa caldissimo.

   ....

9. Barcellona è bella, io vivo là.

   ....

10. Milano è grigia ma io sono fortunato perché vivo qui.

    ....

C'è una nuova *black word* (preposizione)!
È una delle più importanti. Infatti più avanti troverai delle pagine dedicate alle tre preposizioni inglesi più importanti e proprio là ti insegnerò bene come usarla. Per adesso ricorda solo che significa "a".

Hai notato altro? Certo, c'è anche una nuova *gold word*. **WITH**
Non è difficile intuire cosa significhi: vuol dire "con, insieme a". Per tornare a quello che dice Bono, ti dico anche il significato di **without**: "senza".

Con	**WITH**
Senza	**WITHOUT**

Bono Vox sings live with U2 in concert.
(Bono Vox canta dal vivo con gli U2 in concerto.)

PRONOMI PERSONALI COMPLEMENTO

Adesso introduco una nuova categoria, le *purple words*. Sono pronomi personali complemento, cioè quelle parole che sostituiscono un nome o un sostantivo (che può essere una persona, un animale o qualunque cosa) che hanno la funzione di complemento, diretto o indiretto. In altre parole **non** sono i protagonisti della frase. Per non sbagliare ricordati che il pronome complemento risponde alla domanda chi / che cosa?
I live with Concy. I live with her. (Vivo con Concy. Vivo con lei.)
Visto com'è facile? In questo esempio, *I* (io) sono il protagonista e Concy (lei) è il complemento. Posso sostituire il suo nome con **her**.
In inglese il pronome complemento segue sempre il verbo, mentre in italiano

a volte lo precede e a volte lo segue. Puoi vederlo chiaramente in questi due esempi:
Io vivo con lei. = **I live with her.**
Io la amo! = **I love her!**

Come vedi, in inglese il complemento si trova sempre dopo il verbo. In questa tabella trovi tutti i pronomi personali complemento. Ti ricordo di ascoltare la pronuncia di queste parole su **www.johnpetersloan.com**.

Me	**ME**	MI
Te	**YOU**	IÙ
Lui	**HIM**	IM
Lei	**HER**	
Esso/a	**IT**	IT
Noi	**US**	S
Voi	**YOU**	IÙ
Loro	**THEM**	TH'EM

ESERCIZIO 15

Per mettere in pratica ciò che ti ho appena spiegato traduci queste semplici frasi, ricordando che se devi dire "voi due" devi utilizzare **you both**, o per "loro due" devi utilizzare **they both**. Lo stesso vale per i pronomi complemento.

1. Lui è con lei.

HE IS WITH HER

2. Noi siamo con loro due.

   WE ARE WITH THEM BOTH

3. Loro due sono con noi.

   THEY BOTH ARE WITH US

4. Io sono con loro ma non con lui e lei.

   I'M WITH THEM BUT NOT WITH HIM AND HER

5. Voi siete con noi.

   YOU ARE WITH US

6. Lui è con me.

   HE IS WITH ME

7. Lei non è con me.

   SHE ISN'T WITH ME

8. Loro sono con loro.

   THEY ARE WITH THEM

9. Loro sono con lei.

   THEY ARE WITH HER

10. Lui non è con me.

    HE ISN'T WITH ME

L'IMPORTANZA DEL SOGGETTO IN INGLESE

Ci tengo a sottolineare una cosa: quando usi delle parole che legano le frasi (come **but**, **and**, **or**) ricordati di specificare sempre il soggetto nella seconda frase – anche se ti sembra ripetitivo – perché in inglese è essenziale farlo. Infatti in inglese il verbo non fa intuire qual è il soggetto; al massimo potrai capire che si tratta della terza persona singolare se c'è la **S** alla fine del verbo, ma

non sapresti certo dire di quale persona si tratta. In italiano sai automaticamente quando è necessario specificare il soggetto; se omettere il soggetto rischia di essere confusionario lo aggiungi, ma sai spontaneamente quando farlo.
Inoltre, a proposito di soggetti, avrai notato che tra i pronomi personali ce n'è uno che è sempre scritto in maiuscolo: **I**, io. La prima persona singolare va sempre scritta in maiuscolo. Ora guarda questi esempi per capire che il soggetto dev'essere sempre espresso perché quello che dici abbia un senso.
Versione sbagliata:
I live with him and lives with her but live with them.
Vedi che così non si capisce niente? L'unica cosa che mi è chiara è che dopo **and** il soggetto è una terza persona singolare. Potrebbe trattarsi di *he*, *she* oppure *it*, ma non posso saperlo.
Versione corretta:
I live with him and she lives with her but they live with them.
(Io vivo con lui e lei vive con lei ma loro vivono con loro.)

Eccoti la versione sbagliata di un altro esempio:
We are with him but are with her and is with her, too.
Qui troviamo lo stesso tipo di problema. Chi è con chi?!
We are with him but they are with her and he is with her, too.
(Noi siamo con lui ma loro sono con lei e anche lui è con lei.)

PERCHÉ? PERCHÉ...

Mentre in italiano si usa la parola "perché" sia per fare domande, sia per rispondere, in inglese bisogna utilizzare due parole diverse.

WHY = perché (nelle domande) 

BECAUSE = perché (nelle risposte) BICÒS

Why è una *question word*, quindi va usata nelle domande. Quando c'è *why* automaticamente sai che devi utilizzare la forma interrogativa e aggiungere il punto di domanda in fondo alla frase.
Invece nelle risposte si usa *because*. Guarda questi esempi:
Concy: **Why is she there with you?** (Perché lei è lì con te?)
John: **Because she is my mother and it's her house.** (Perché lei è mia mamma ed è casa sua.)

AGGETTIVI POSSESSIVI

Questa è la mia borsa!
No! Questa è la MIA borsa!

Con gli aggettivi possessivi puoi dire a chi appartiene qualcosa. In inglese sono davvero semplici perché non c'è bisogno di concordarli col sostantivo cui fanno riferimento; si comportano come tutti gli aggettivi, del resto. Quindi non importa se fanno riferimento a qualcosa di maschile, femminile, singolare o plurale. Ti basta memorizzare poche parole. Eccoli tutti:

Mio	**MY**	MAI
Tuo	**YOUR**	
Suo (di lui)	**HIS**	
Suo (di lei)	**HER**	
Suo (di esso/a)	**ITS**	ITS
Nostro	**OUR**	AU A
Vostro	**YOUR**	
Loro	**THEIR**	TH

TOP TIP! Quando diciamo "mio" in inglese, pensa che questa cosa è mia e non è degli altri, MAI di qualcun altro. *MY* si pronuncia "mai".

E ora usiamoli!
In italiano spesso si trova l'articolo anche davanti agli aggettivi possessivi; ricorda che in inglese non si mette mai, invece. Quindi se voglio dire:
il mio gatto è sul tuo tavolo con il suo pesce
dico: **my cat is on your table with his fish.**
(**NON The my cat is on the your table with the his fish.** Questo è un disastro!)

Ora è molto importante ascoltare i supporti audio per la corretta pronuncia di questi aggettivi. Sottolineerò inoltre le sottili differenze tra *THEIR*, *THEY'RE* and *THERE* così non ti confonderai!

WHO
chi

ESERCIZIO 16

Ora tocca a te utilizzare correttamente *why* e *because*. Traduci le seguenti frasi:

1. Perché c'è un gatto con Susy sul letto (*bed*)?

   ....

2. Perché anche Susy è un gatto.

   ....

3. Perché ci sono due donne pazze con noi?

   ....

4. Perché siamo simpatici.

   ....

5. Perché c'è un uomo brutto con lei?

   ....

6. Perché è brutta anche lei.

   ....

7. Perché lei è con sua nonna in discoteca?

....

8. Perché suo nonno non sta bene (*isn't well*).

....

9. Perché sei qui senza i tuoi occhiali (*glasses*)?

....

10. Chi sei?

....

Preparati, allacciati la cintura per tradurre questa incredibile conversazione.

ESERCIZIO 17

Dialogo fra due amiche, Rosa (R) e Bianca (B), in un *café*. Ricorda che non devi tradurre i nomi dei due personaggi.

WANT
volere

1. R: Wow! Quella è la tua borsa?

....

2. B: Sì, io amo la mia borsa. Io vivo con lei (*essa*).

....

3. R: Sono innamorata della tua borsa! (*to be in love with*)

....

4. B: Grazie... ma la mia borsa è con me, (*essa*) non è con te!

....

5. R: Sì, ma adesso sono con te quindi è la nostra borsa...

....

6. B: No, no... noi siamo felici senza di te.

7. R: Perché sei così arrabbiata?

8. B: Perché tu e quelle donne volete la mia borsa.

9. R: Io non sono con loro ma io voglio la tua borsa!

10. B: Perché?

Come hai visto, le donne qui hanno parlato di borse, quindi rimane solo un altro argomento di cui parlare... Rosa e Bianca vedono passare una donna alta con tre occhi.

SHOES
scarpe

ALWAYS
sempre

GIVE ME
dammi

11. R: Guarda! Che belle scarpe!

12. B: Chi?

13. R: Quella donna alta.

14. B: Lei vive con il mio amico, è molto simpatica.

15. R: La donna alta è triste, perché?

16. B: Perché vive con il mio amico; lui è vecchio, matto e senza scarpe.

....

17. R: Non è matto, io sono innamorata di lui. Tu sei stupida!!!

....

18. B: Sei sempre arrabbiata. Perché?

....

19. R: Dammi quella borsa!

....

20. B: No!

....

LA FAMIGLIA

Nel *Block 3* ti ho già accennato qualcosa riguardo alla mia famiglia. Vediamo adesso i nomi dei principali componenti della famiglia (e non solo).

Per cominciare eccoti due **FF** (i *false friends*).
Relatives non significa "relativi" ma "parenti", in generale.
Parents non significa "parenti" ma "genitori".

Prima i familiari più stretti; iniziamo con **FATHER** (padre), o più affettuosamente **DAD** (papà) e **MOTHER** (madre), o più dolcemente **MUM** (mamma). Loro sono generalmente **HUSBAND** (marito) e **WIFE** (moglie).
Se hanno un **SON** (figlio) e una **DAUGHTER** (figlia), allora possono dire di avere **CHILDREN** (figli) che sono, tra di loro, **BROTHER** (fratello) e **SISTER** (sorella). Poi ci sono il **GRANDFATHER** o **GRANDAD** (nonno) e la **GRANDMOTHER** o **GRANNY** (nonna). Infine **UNCLE** (zio) e **AUNT** (zia) concludono il gruppo dei parenti più vicini.

Ma ci può essere un **FRIEND** (amico/a) che senti così vicino da considerarlo parte della **FAMILY** (famiglia). Infine il tuo **BOYFRIEND** (fidanzato, ragazzo) o la tua **GIRLFRIEND** (fidanzata, ragazza) forse, prima o poi, saranno la tua futura famiglia.
Se non ne hai avuto abbastanza di tutti questi nomi, vai nella sezione EeE per scoprire altre parentele.
EeE 13 – Relatives

Adesso vorrei che anche tu mi parlassi un po' della tua famigliola.
Per esempio: **My father** (o **dad**, che è più affettuoso) **is tall and strong and he lives with my mother.** Cerca di scrivere frasi belle, lunghe e fantasiose. Nel primo spazio vuoto scrivi il nome. *Go!*

OTHER
altro/a

My father / dad is ....

My mother / mum is ....

My sister .... is ....

My other sister .... is ....

My other sister .... is ....

My brother .... is ....

My other brother .... is ....

My granny .... is ....

My grandad .... is ....

My son .... is ....

My other son …………………… is ……………………………………

My daughter …………………… is ……………………………………

My other daughter …………………… is ……………………………………

My wife is ……………………………………………………

My ex-wife is ……………………………………………………

My husband ……………………………………………………

My ex-husband is …………………………… *(non troppe parolacce, please)*

My boyfriend is ……………………………………………………

My ex-boyfriend is ……………………………………………………

My girlfriend is ……………………………………………………

My ex-girlfriend is ……………………………………………………

My lover is ……………………………………………………

My best friend is ……………………………………………………

LOVER
amante

EYES
occhi

CAR
macchina

non

amare
amore

ristorante

ESERCIZIO 18

Come ormai avrai capito, sono un inguaribile romantico. Traduci le mie perle più splendenti con tanto sentimento e partecipazione.
Nota importante! Ricordati che va aggiunta una S al verbo della terza persona singolare! *Are you ready? Go!*

1. Sono Giovanni. Sono con mia sorella. Non è mia moglie.

   ....

2. Lui è con la sua fidanzata al (*at the*) ristorante.

   ....

3. Tu sei il mio amore. Sono triste senza di te.

   ....

4. Io amo i tuoi occhi. Non i suoi (*di lui*) occhi, non i loro occhi, solo i tuoi occhi.

   ....

5. Lei è con il suo amante.

   ....

6. Io amo la mia macchina. È bella.

   ....

7. Loro amano la loro madre.

   ....

8. Lui ama la loro madre.

   ....

9. La loro madre ama lui. (*Succederà un casino!*)

   ....

10. Nostro padre è con la sua amante.

    ....

Adesso asciugati le lacrime, altrimenti non riuscirai più a leggere.
Ti piacciono gli animali? A me sì, moltissimo! E ora approfitto di questo spazio per implorarvi di non mettere gli uccellini in gabbia e i pesciolini nella boccia di vetro. Non c'è niente di più triste che vedere incarcerato, ingabbiato, imprigionato un uccello o un pesce.

THE MIRACLES THAT ARE ANIMALS

Here they are! (Eccoli qui!)
Ricordati di ascoltare il file audio disponibile online per la pronuncia.
Cat = gatto
Dog = cane
Bird = uccello
Goldfish = pesce rosso
Horse = cavallo
Hamster = criceto
Turtle = tartaruga d'acqua
Tortoise = tartaruga di terra
Rabbit = coniglio

Poi ci sono le persone un po' strane che amano tenere in casa animali esotici o meno comuni, quindi ti do anche:

Snake = serpente
Pig = maiale — Dicono che sono affettuosi e leali quanto i cani.
Squirrel = scoiattolo
Tiger = tigre — Ce l'aveva un mio amico in casa, mi manca tanto lui...
Parrot = pappagallo — Mia sorella aveva un parrot. Mia sorella aveva un parrot. Mia sorella aveva un parrot.
Frog = rana
Chameleon = camaleonte
Il camaleonte cambia sempre colore, è l'animale più indeciso che io abbia mai visto. Esclusa Concy, non c'è un animale più indeciso sui colori.

BLOCK 7

SEVEN

TO HAVE

AVERE

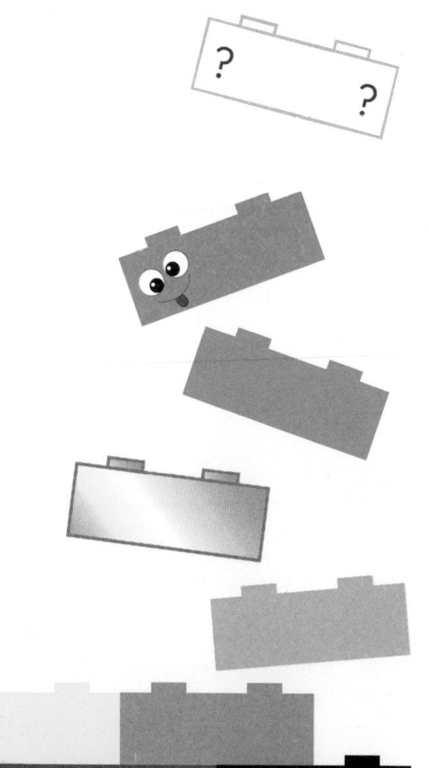

BLOCK SEVEN

TO HAVE

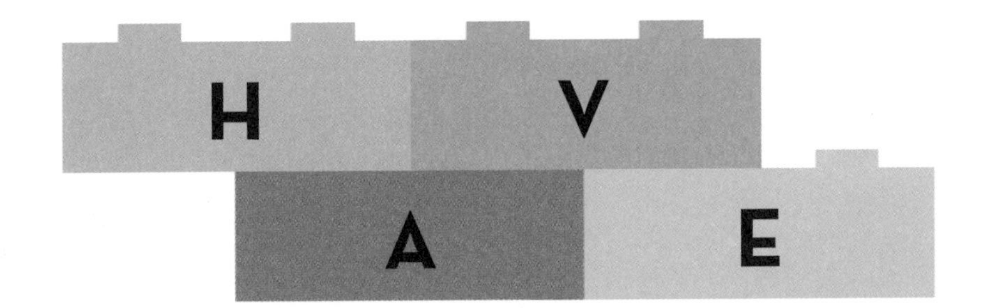

Il verbo inglese **TO HAVE** in italiano si traduce in diversi modi perché ha molti utilizzi. Possiamo suddividere il grande *block have* in quattro:

1 HAVE (GOT) = AVERE, nel vero senso della parola
2 HAVE = FARE
3 HAVE = INVITO A FARE QUALCOSA
4 HAVE = AUGURIO

1 HAVE (GOT) = AVERE

Avere, possedere, nel vero senso della parola.
Forma affermativa
Partiamo con **I have**, che significa "io ho". Se voglio enfatizzare il significato di possesso, aggiungo la parola **GOT**. Quindi **I have got**, io ho, posseggo.
Posso abbreviare *HAVE* **solo** se utilizzo anche *GOT* in questa maniera: **I'VE**; allo stesso modo *I have got* diventa *I've got*. **Have** oppure **'ve** resta uguale per tutte le persone tranne una; infatti solo alla terza persona singolare (*he, she, it*) si usa **HAS** (che significa "ha") e si abbrevia con **'S**.

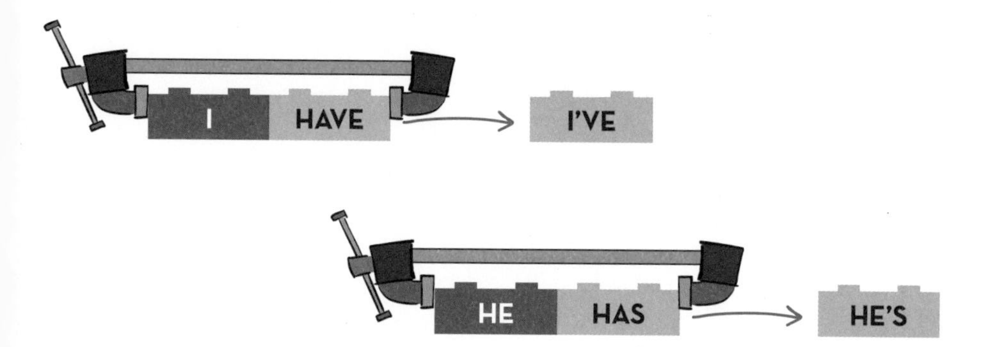

Nella forma affermativa è opzionale utilizzare *got* insieme al verbo. Questo perché *got* enfatizza il significato di possesso, ma non è sbagliato non metterlo.

I have a ticket oppure **I have got a ticket** sono entrambe corrette.

Si usa per parlare di possesso:
I have (got) a new car. (Ho un'auto nuova.)
He has (got) two cherries. (Egli ha due ciliegie.)

Si usa per parlare di relazioni personali:
You have (got) a sister. (Hai una sorella.)
We have (got) two brothers. (Abbiamo due fratelli.)

Si usa anche per parlare di malattie o malesseri:
I have (got) a terrible headache. (Ho un mal di testa terribile.)
I have (got) a cold. (Ho il raffreddore.)

Si usa per parlare di caratteristiche:
He has (got) a tattoo. (Lui ha un tatuaggio.)

Eccoti una tabella riassuntiva della forma affermativa. Seguimi con il file audio per imparare la pronuncia.

FORMA AFFERMATIVA

Forma estesa	Forma contratta	Italiano
I HAVE (GOT)	**I'VE (GOT)**	Io ho
YOU HAVE (GOT)	**YOU'VE (GOT)**	Tu hai
HE HAS (GOT)	**HE'S (GOT)**	Egli ha
SHE HAS (GOT)	**SHE'S (GOT)**	Ella ha
IT HAS (GOT)	**IT'S (GOT)**	Esso/a ha
WE HAVE (GOT)	**WE'VE (GOT)**	Noi abbiamo
YOU HAVE (GOT)	**YOU'VE (GOT)**	Voi avete
THEY HAVE (GOT)	**THEY'VE (GOT)**	Essi/e hanno

Leggi questo dialogo tra Tom e un tipo qualunque (UTQ).

Tom: Excuse me.
UTQ: Yes?
Tom: Have you got a minute?
UTQ: Yes, I have.

ASK
chiedere

Tom: Have you got the time?
UTQ: Yes, it's 5 o'clock.
Tom: Have you got a girlfriend?
UTQ: No, I haven't.
Tom: Have you got a friend?
UTQ: Yes, I have. His name is Paul.
Tom: Have you got a house?
UTQ: Yes, I have.
Tom: Have you got a room for me?
UTQ: No, I haven't.
Tom: Has Paul got a room in his house for me?
UTQ: Paul lives with me.
[*squilla il telefono di UTQ*]
UTQ: Hello? Mr Tipo Qualunque speaking. Oh, hello Paul!
Tom: Has Paul got a girlfriend?
UTQ: Yes, sorry there is a crazy man here. He just asks questions with "have got". And now I've got a headache. Don't worry (*non preoccuparti*), now the crazy man is in the greengrocer's.

GLI OPPOSTI

In italiano ci sono alcune parole che, precedute dalla lettera **a-**, dalla lettera **s-** o dal prefisso **in-** assumono un significato opposto. Per esempio: aggiungo una **A** all'aggettivo **tipico** e ottengo **atipico** (che ne è l'opposto). Similmente, se aggiungo una **S** a **contento**, ottengo **scontento**. Oppure, se aggiungo **in-** all'aggettivo **felice** avrò **infelice**. Lo stesso succede in inglese.
1 Se aggiungo **UN-** prima di alcuni aggettivi, ottengo parole che hanno il significato opposto delle parole di partenza. Per esempio:
un + happy (felice) = **unhappy** (infelice)
un + believable (credibile) = **unbelievable** (incredibile)
un + clean (pulito) = **unclean** (sporco)
un + kind (gentile) = **unkind** (scortese)
un + usual (solito) = **unusual** (inconsueto)
un + grateful (grato) = **ungrateful** (ingrato)

2 Se aggiungo il suffisso **-LESS** alla fine di una parola, ottengo una nuova parola che significa "senza + quella parola"
wire (filo) + **less** = **wireless** (senza filo)
end (fine) + **less** = **endless** (senza fine)
top (parte in alto) + **less** = **topless** (dai che lo sai benissimo cos'è un topless)
sugar (zucchero) + **less** = **sugarless** (senza zucchero)
pain (dolore) + **less** = **painless** (indolore)

FORMA INTERROGATIVA

Se vuoi fare una domanda usando il verbo **to have**, non basta invertire i mattoncini (come si fa con il verbo *to be*. Ricordi? Dai un'occhiata al *Block 4*), a meno che tu non aggiunga anche GOT. Quindi:
You have (got) a ticket.
Have you a ticket? – NO, così è sbagliato!
Have you GOT a ticket? – YES, così è giusto.
Se non vuoi mettere *got* nella domanda devi aggiungere un nuovo mattoncino, una *gold word*: **DO**

Si tratta di una *gold word* perché è davvero una delle parole **ESSENZIALI** che bisogna conoscere per poter utilizzare i verbi in inglese. Per adesso inizio a farti vedere come si usa insieme al verbo *have*, ma tieniti pronto, perché tra pochissimo la ritroveremo in un luogo davvero fantastico... Devi solo avere ancora un po' di pazienza.

ATTENZIONE! Alla terza persona singolare (*he, she, it*) il mattoncino che devi aggiungere all'inizio della frase è diverso: è il mattoncino **DOES**.

Ricordati che se scegli di utilizzare *do* (o *does*, a seconda dei casi), **NON** puoi mettere anche *got*. Scegli, uno o l'altro.
In questa tabella trovi un riassunto chiaro di quello che ho appena spiegato:

VERB TO HAVE

Affermativa	Interrogativa 1	Interrogativa 2
I HAVE (GOT) ...	**HAVE I GOT ... ?**	**DO I HAVE ... ?**
YOU HAVE (GOT) ...	**HAVE YOU GOT ... ?**	**DO YOU HAVE ... ?**
HE HAS (GOT) ...	**HAS HE GOT ... ?**	**DOES HE HAVE ... ?**
SHE HAS (GOT) ...	**HAS SHE GOT ... ?**	**DOES SHE HAVE ... ?**
IT HAS (GOT) ...	**HAS IT GOT ... ?**	**DOES IT HAVE ... ?**
WE HAVE (GOT) ...	**HAVE WE GOT ... ?**	**DO WE HAVE ... ?**
YOU HAVE (GOT) ...	**HAVE YOU GOT ... ?**	**DO YOU HAVE ... ?**
THEY HAVE (GOT) ...	**HAVE THEY GOT ... ?**	**DO THEY HAVE ... ?**

FORMA NEGATIVA

Similmente alla forma interrogativa, anche per la forma negativa devi tenere in considerazione *got*. Se vuoi metterlo nella frase, allora devi aggiungere **NOT** al verbo (*have* oppure *has*) nella forma contratta (otterrai *haven't* oppure *hasn't*). Se invece non vuoi utilizzare *got*, devi necessariamente aggiungere **DO + NOT** (che si può accorciare in **DON'T**) oppure **DOES + NOT** (solo alla terza persona singolare e si può accorciare in **DOESN'T**).
I haven't a ticket. – NO, così è sbagliato.
I haven't got a ticket. – YES, così è giusto.
I don't have a ticket. – YES, così è giusto.

VERB TO HAVE

Affermativa	Negativa 1	Negativa 2
I HAVE (GOT) ...	**I HAVEN'T GOT ...**	**I DON'T HAVE ...**
YOU HAVE (GOT) ...	**YOU HAVEN'T GOT ...**	**YOU DON'T HAVE ...**
HE HAS (GOT) ...	**HE HASN'T GOT ...**	**HE DOESN'T HAVE ...**
SHE HAS (GOT) ...	**SHE HASN'T GOT ...**	**SHE DOESN'T HAVE ...**
IT HAS (GOT) ...	**IT HASN'T GOT ...**	**IT DOESN'T HAVE ...**
WE HAVE (GOT) ...	**WE HAVEN'T GOT ...**	**WE DON'T HAVE ...**
YOU HAVE (GOT) ...	**YOU HAVEN'T GOT ...**	**YOU DON'T HAVE ...**
THEY HAVE (GOT) ...	**THEY HAVEN'T GOT ...**	**THEY DON'T HAVE ...**

"I don't have" vs "I haven't got"
La forma con *do* (oppure *does*) più usata dagli americani per domande e negazioni va benissimo. Va così bene che anche in Inghilterra usiamo tantissimo questa struttura.
Riassumendo:
I have got a house oppure *I have a house.*
Peter has got a house oppure *Peter has a house.*

Have you got a house? oppure *Do you have a house?*
Has Jane got a house? oppure *Does Jane have got a house?*

I haven't got a house oppure *I don't have a house.*
Diane hasn't got a house oppure *Diane doesn't have a house.*

SHORT ANSWERS

Come per il verbo *to be*, anche per il verbo *to have* ci sono delle risposte brevi che servono per rispondere alle domande senza ripetere tutto quello che ti è stato chiesto. Però bisogna stare molto attenti a come è stata fatta la domanda (cioè se è stato utilizzato **got** oppure **do**).

1 Se nella domanda c'è *got* fai così:
Have you got a computer? (Hai un computer?)
Yes, I have. (Sì, ce l'ho.)
No, I haven't. (No, non ce l'ho.)
Come vedi non serve ripetere *got* nella risposta. Basta che metti:
YES / NO + PRONOME + HAVE / HAVEN'T

SOLO per la terza persona singolare ricordati che il verbo è *HAS* (affermativa) o *HASN'T* (negativa)
Has Concy got many shoes? (Concy ha tante scarpe?)
Yes, she has!!! (Sì, ne ha!!!)

2 Se invece non c'è *got* nella domanda, ma *do*, devi rispondere così:
Do you have a computer? (Hai un computer?)
Yes, I do. (Sì, ce l'ho.)
No, I don't. (No, non ce l'ho.)

Anche qui ricordati di fare attenzione alla terza persona singolare (*he, she, it*).
DOES, se rispondi sì o *DOESN'T* se rispondi no.
Does Concy have many shoes? (Concy ha tante scarpe?)
Yes, she does!!! (Sì, ne ha!!!)

Se c'è **DO** non c'è **GOT** e viceversa se c'è **GOT** non ci può essere **DO**.

ESERCIZIO 19

Adesso traduciamo! Tra parentesi troverai delle indicazioni, non devi tradurle.

1. Ho quattro fragole rosse con me.

   ....

2. Hai un cesto, per favore? (usa *got*) – Sì, ce l'ho.

   ....

3. Hai una fidanzata? (usa *do*) Come si chiama?

   ....

4. Lei è triste perché lui non ha una macchina nuova. (usa *got*)

   ....

5. Noi abbiamo due cavalli ma non abbiamo un criceto. (usa *do*)

   ....

2 HAVE = FARE

Il significato di *have* che sto per spiegarti, ti farà capire quanto è diffuso l'utilizzo di questo verbo in inglese; è quindi importante impararlo bene! Si usa moltissimo nella quotidianità. Infatti sostituisce spesso l'italiano **FARE**. In questa lista ho raggruppato i più importanti:

have a shower (fare una doccia)
have a party (fare una festa)
have a walk (fare una passeggiata)
have breakfast (fare colazione)
have lunch (pranzare)
have a snack (fare uno spuntino)
have dinner (cenare)
have a nap (fare un pisolino)
have a chat (fare una chiacchierata)
have a holiday (fare una vacanza)
have fun (divertirsi)

E dopo tutte queste cose **let's have a break** (facciamo una pausa)!

Cos'è **LET'S**? È quello che in italiano è espresso con "-iamo" (alla fine della parola) quando vuoi suggerire o invitare a fare qualcosa. In inglese si mette sempre all'inizio della frase e il suo utilizzo è molto diffuso. Quando c'è, non bisogna mettere un soggetto perché implicitamente si sa che stai facendo un invito a tutti i presenti.

Let's have a cup of tea (prendiamoci un tè) - Proponi di bere una tazza di tè. Si sa che lo stai proponendo a chi c'è accanto a te.
Let's go to the cinema (andiamo al cinema) - È mercoledì sera e il Birmingham City non sta giocando in Champions quest'anno... meglio distrarsi un po', andiamo al cinema che è meglio.
Let's dance! (balliamo!) - Concy per ballare ha bisogno delle scarpe giuste e la musica giusta. Io ho bisogno solo di tre birre.

Ok, dopo questa breve pausa... andiamo! *Let's go!*

Aspetta, aspetta un attimo. Io ho così tanta fiducia in te che ora ti lancio **una bomba**: uno dei *conditionals*. Si chiama **Conditional Zero**. Sono certo che riuscirai a capirlo al volo, hai già in mano tutte le armi per usarlo bene.

IL CONDITIONAL ZERO

Questo è il condizionale della certezza e si chiama "zero". La frase è composta di due metà; in entrambe devi dire una verità, qualcosa di reale, è così.
Per impararlo hai bisogno di due nuovi *building blocks*. Il primo è **IF**, una *gold word* che significa "se". L'altro mattoncino è una *question word*; per l'utilizzo che ne facciamo adesso, non serve per fare domande. È **WHEN** e vuol dire "quando".

Spesso si usa per le verità assolute (tipo nozioni scientifiche) ma ti faccio vedere come lo puoi utilizzare nella quotidianità.
If you are happy, I am happy too. (Se sei felice, sono felice anch'io.)
When you are angry, I am sad. (Quando sei arrabbiato, sono triste.)
If my brother is here, our mum has a chat with him. (Se mio fratello è qui, la nostra mamma fa una chiacchierata con lui.)
When it's snowing, it's very cold. (Quando nevica, fa molto freddo.)
Scegli tu se utilizzare *if* o *when*. La frase si costruisce così:

Frase 1 e **frase 2** sono spesso interscambiabili, decidi tu quale mettere prima. L'importante è che in entrambe ci sia il *Simple Present*. Cos'è? Ancora un pochino di pazienza... devi aspettare di essere pronto per entrare in... lo scoprirai tu stesso.

ESERCIZIO 20

Adesso traduci queste frasi; sono un *mix* di *Conditional Zero* e *have* (nel senso di fare qualcosa). *Let's start!*
Esempio: **If you want to be clean, have a shower.**

1. Se vuoi divertirti, fai una festa.

....

2. Quando ho fame, faccio uno spuntino.

....

3. Se sono stanco, faccio un pisolino.

....

4. Quando sono molto stanco, faccio una vacanza.

....

5. Se mia figlia è triste, faccio una chiacchierata con lei.

....

6. Quando non ho cibo (*I have no food*), ceno con i miei amici.

....

7. Se ho fame alle 12, pranzo.

....

8. Quando vuoi pensare (*to think*), fai una passeggiata.

....

3 HAVE = INVITO A FARE QUALCOSA

Il verbo *to have* si usa anche per suggerire o invitare qualcuno a fare o prendere qualcosa.

Questi sono inviti a fare qualcosa al volo, un'occhiata rapida, un ascolto veloce e così via.
Invitare a fare
have a look (dai un'occhiata)
have a listen to this song (senti questa canzone)
have a taste of this (assaggia questo)
Invitare a prendere
have a biscuit (prendi un biscotto)
have a cup of tea (prendi una tazza di tè)
have a drink with me (prendi qualcosa da bere con me)

4 HAVE = AUGURIO

Infine *to have* si può utilizzare anche per augurare qualcosa di buono.
have a good day (buona giornata)
have a nice holiday (buone vacanze)
have a great Christmas (ti auguro un bellissimo Natale)
have a wonderful birthday (ti auguro uno splendido compleanno)
have fun! (divertiti!)

SFATIAMO IL MITO!

FUN è un sostantivo che significa "divertimento" e serve per dire che qualcosa o qualcuno è divertente.
This film is fun. (Questo film è divertente.)
To have fun. (Divertirsi.)
FUNNY è un aggettivo, dice che qualcosa o qualcuno ci fa ridere, è buffo.
This is a funny film. (Questo è un film divertente.)
Funny però significa anche strano... quando c'è qualcosa che non va.
Questo è uno dei rarissimi casi in cui capisci se intendi uno o l'altro significato dal tono della voce (o comunque dalla situazione).
There's something funny about that man. (C'è qualcosa di divertente / che non va in quell'uomo.)

GENITIVO SASSONE E PREPOSIZIONE "OF"

Arrivati a questo punto, dopo tutta la strada che abbiamo già percorso insieme, ci tengo a dirti una cosa molto importante: **I'm very proud of you!** Sono molto orgoglioso di te! Adesso ti spiego il Genitivo Sassone.

PROUD
orgoglioso

È il modo in cui in inglese si indica l'appartenenza di qualcosa a qualcuno. Si costruisce così:
POSSESSORE + 'S + COSA POSSEDUTA
Per esempio: **my sister's house** (la casa di mia sorella)
Concy's shoes (le scarpe di Concy, tantissime!)

Il Genitivo Sassone si usa con:
- **PERSONE**: **my grandfather's dog** (il cane di mio nonno)
- **ANIMALI**: **his dog's bone** (l'osso del suo cane)
- **ESPRESSIONI DI TEMPO**: **yesterday's rain** (la pioggia di ieri)
- **CITTÀ O NAZIONI**: **Milan's Duomo** (il Duomo di Milano)

Ti invito a guardare nella sezione EeE un approfondimento sull'argomento.
EeE 14 – Possessive case

Se vuoi indicare un'appartenenza con vocaboli che non rientrano in nessuna delle categorie che ti ho elencato, devi utilizzare la preposizione **OF**.

Significa "di" e, combinata con la *pink word* **THE**
diventa "del, della, dei, delle" e così via. Insomma, hai capito, no?
The colour of the pen. (Il colore della penna.)

ESERCIZIO 21

Iniziamo a conoscere i nomi inglesi di alcune parti del volto. Guarda l'immagine del mio amico Kevin. Ascolta il file audio su **www.johnpetersloan.com** per sentire come si pronunciano queste nuove parole.

NOSE – EYE – MOUTH – EAR – LIPS – NECK – HAIR

Ora guarda come descrivo il volto del mio amico Kevin.
Kevin has a long nose, a short neck, big blue eyes, a small mouth, big ears, red lips and no hair.
Adesso completa il disegno inserendo i vocaboli giusti negli spazi vuoti. Potrebbe essere interessante andare subito alla sezione EeE per conoscere altri vocaboli e aggettivi relativi alle parti del volto e della testa.
EeE 15 – Parts of the face

SI CONTA O NO?

I sostantivi (*red words*) in inglese si dividono in due categorie:
1 COUNTABLES: sono cose che si possono contare e davanti ai quali si può mettere un numero. Per esempio **egg** (uovo), **boy** (ragazzo), **carrot** (carota), **rabbit** (coniglio)... Per definirne la quantità basta indicare un numero prima del sostantivo; se sono più di due, ricorda di aggiungere la **S** del plurale.
I have got two eggs. (Ho due uova.)
2 UNCOUNTABLES: sono cose che **non** si possono contare usando i numeri, ma delle quali si può solo dire "tanto, un po', qualche, poco" e così via. Sono generalmente sostanze solide o liquide che possono essere numerate solo con una unità di misura. Per esempio **water** (acqua), **coffee** (caffè), **flour** (farina), **milk** (latte)... L'unità di misura potrebbe anche essere **a cup** (una tazza), **a spoon** (un cucchiaio), **a litre** (un litro), **a glass** (un bicchiere), ecc. Tutti i sostantivi *uncountables* non si possono volgere al plurale; l'unità di misura, invece, sì.
Would you like a cup of tea? (Ti va una tazza di tè?)
There are two glasses of water. (Ci sono due bicchieri d'acqua.)

Eccoti una lista di termini *uncountables* che ti possono essere utili nella quotidianità. Ricorda che non puoi volgerli al plurale.
bread (pane)
information (informazione)
money (soldi)
news (notizie)

SOME, ANY, NO

Con la preposizione **of** hai imparato a dire "del, della, dei, delle". Ma c'è un altro modo in inglese per dire "dei, delle" inteso come una piccola quantità, alcuni, un po': **SOME**. È un aggettivo se si trova prima di un sostantivo; se quel sostantivo è *countable*, devi metterlo al plurale.
There is some coffee. (C'è del caffè.)
Si può utilizzare nelle domande per offrire o chiedere qualcosa:
Would you like some water? (Ti va dell'acqua?)
Can I have some apples, please? (Posso avere delle mele, per favore?)

Nelle frasi interrogative e negative **ANY** ha lo stesso significato di *some*.
Is there any coffee? (C'è del caffè?)
There isn't any coffee. (Non c'è del caffè.)
Se il sostantivo che precede è *countable*, devi metterlo al plurale.
Are there any biscuits? (Ci sono dei biscotti?)
Nelle frasi affermative *any* cambia significato e diventa "qualsiasi, qualunque".

Infine, c'è un modo per fare una negazione assoluta: l'aggettivo **NO**. Vuol dire "niente, nessuno, nessuna" e si trova **solo** in frasi affermative.
There is no coffee. (Non c'è caffè.)
Kevin has got no hair. (Kevin non ha capelli.)

HAIR significa "capelli" e in inglese è sempre singolare. Fai attenzione perché ti verrà invece spontaneo pensare che sia plurale.
Her hair is long and black. (I suoi capelli sono lunghi e neri.)
In realtà si può volgere al plurale la parola *hair*; ottieni **hairs** che significa "peli".

Hi, I'm John; I'm 31 and I'm from Birmingham. I have big blue eyes...

Adesso con tutti i vocaboli nuovi che hai imparato, descriviti.

Hi, ...

....

....

ESERCIZIO 22

Ora mescoliamo un po' il verbo essere e avere e traduci queste frasi:

JOBS lavori

RICH ricco/a

LOTS OF tanti

BRAIN cervello

LUCKY

CAKE SHOP negozio di torte

FORTUNATE fortunato/a

1. Io sono contento perché ho un cappello verde.

   ....

2. Lei è grassa perché ha un negozio di torte.

   ....

3. Lui è triste perché non ha soldi.

   ....

4. Lei è arrabbiata perché suo padre non ha la macchina.

   ....

5. Noi siamo stanchi ma felici perché abbiamo tanti lavori.

   ....

6. Loro sono tristi perché non hanno i biglietti per Vasco.

....

7. Vasco è fortunato perché ha tanti fan.

....

8. La famiglia Hilton è ricca perché hanno tanti alberghi.

....

9. Tu sei stupido perché non hai un albergo.

....

10. Io sono fortunato perché sono con te.

....

ESERCIZIO 23

SHOPPING IN LONDON (*continued*)
... ormai sono passate due ore e mezzo e ho trovato il quarto fruttivendolo. Ho perso altri 5 minuti con un tipo che continuava a parlare di *have got* e adesso sono pronto per fare la spesa come si deve. Sono entrato e ho detto alla tipa: "Ascolta, io so e tu sai che non è possibile perdere tre ore per comprare due banane. Ora deve andare tutto liscio. Vedo che sei inglese, vedo che la roba è fresca e soprattutto adesso sono armato con *have got*. Pronta?".

HOW MANY
quanti/e

*** * * Part 1**
J = John
TDN = Tipa del negozio

TDN: Hai 10 minuti. ....

J: Hai delle banane? ....

TDN: Sì. ....

J: Sono gialle? ....

TDN: Ma mi stai prendendo in giro? Ovvio che sono gialle! Secondo te?
J: Sei seria, sei normale... bene, bene, avanti così.
Dammi due banane, per favore. ....

....

TDN: Vuoi anche un sacchetto?

[*John guarda la lista scritta da Concy*]
J: No grazie, non è sulla lista.
Dammi delle pere, per favore. ....

TDN: Quante? ....

J: Quante ne hai? ....

TDN: Dieci. ....

[*John chiama Concy*]
C: Cosa c'è?
J: Non hai scritto quante pere vuoi.
C: Io ormai ho mangiato. Prendine quante ne vuoi. Comunque guarda che io ho finito di pulire e sto facendo la valigia.
J: Amore, l'importante è che ti sei rilassata un paio di giorni. Concy? Pronto? Concyyy?
[*Concy ha riattaccato. John torna nel negozio*]

*** * * Part 2**

TDN: Hai quattro minuti. ....

J: Solo quattro minuti?! ....

[*Squilla il telefono*]

J: Cosa c'è?

C: Non trovo più la tua maglia verde. Dove l'hai messa?

J: Quante maglie ho portato?

C: Tre.

J: E quante ne vedi lì?

C: Due. Una rossa e una bianca.

J: Secondo te io sto girando nel centro di Londra a petto nudo?

C: Ah, già. Poi ti devo dire un'altra cosa importante.

J: Perché quella era importante?!

C: Ricordati che i negozi chiudono alle sei.

SLAM! [*Chiude la saracinesca del negozio*]

TO BE CONTINUED...

BLOCK 8

EIGHT

PLACES AND STUFF

POSTI E ROBA

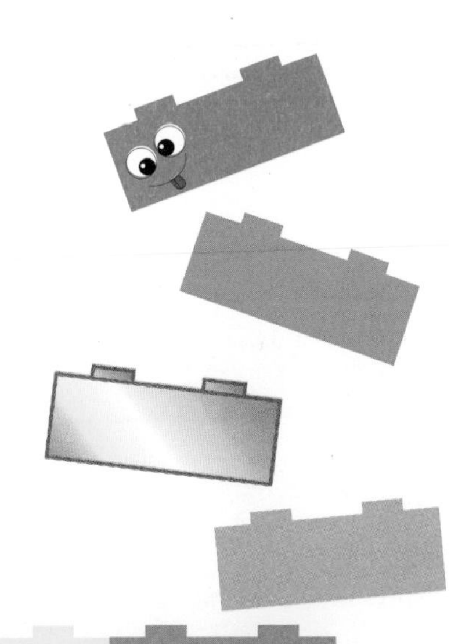

BLOCK EIGHT

PLACES AND STUFF

ANIMALI

Ascolta la pronuncia di questi vocaboli e stai attento perché ti farò sentire anche il verso di questi animali.

Pig = maiale
Monkey = scimmia
Bear = orso
Lion = leone
Crocodile = coccodrillo
Camel = cammello
Shark = squalo
Dolphin = delfino
Duck = papera
Cow = mucca
Chicken = gallina
Horse = cavallo
Rabbit = coniglio
Bee = ape
Goat = capra
Bull = toro
Wolf = lupo
Sheep = pecora (attenzione, questa parola è un'eccezione alla regola del plurale. Infatti al plurale non si aggiunge la **S** ma rimane invariata, *one sheep, two sheep.*)

ESERCIZIO 24

Adesso andiamo a trovare i cugini di campagna! Sono quattro contadini, ciascuno ha una fattoria; amano trascorrere le loro giornate lavorando e cantando canzoni in falsetto. A volte litigano perché sono molto competitivi e vogliono sempre essere i migliori.

non dimenticarti

intelligente

uguale

Ivano (I), George (G), Silvano (S), Nick (N)

1. I: Hey! Io ho due capre e due mucche. Allora?

    ....

2. G: Io ho tre maiali, cinque tori e un nuovo cane. E quindi?

    ....

3. S: Buuuh! Loro hanno animali vecchi. Io ho 13 polli e 70 api.

    ....

4. N: Cosa? Io ho 17 cavalli grossi e una piccola scimmia senza banane!

    ....

5. I: Hey! Non dimenticarti! Io ho 40 cammelli compresa (*including*) mia moglie.

    ....

6. G: Sì, ma io ho una moglie e un coccodrillo; tutti e due hanno la stessa bocca.

    ....

7. S: I miei conigli neri sono bellissimi e le mie pecore sono così simpatiche.

    ....

8. N: No, tu non hai conigli neri o pecore simpatiche.

   ....

9. S: Perché?

   ....

10. N: Chiedi al mio nuovo lupo.

   ....

Tu non ti sei accorto di quanta strada hai fatto per arrivare sino a qui. Tutta la parte più difficile ormai è fatta. Se hai lasciato qualche pezzo per strada è normale, tranquillo, ma se è così è importante che ora si torni indietro a recuperarlo. Tra poco giocheremo alla grande perché siamo quasi alla porte di un posto magico.

MOLTO

Abbiamo già visto che con **TOO** e **SO** puoi enfatizzare gli aggettivi.
You are so good! Sei così bravo hai già imparato!
But they are too easy now. Ma ora sono troppo facili, quindi aggiungiamo queste due parole: **VERY** and **REALLY**.
VERY traduce **MOLTO** ed è seguito da un aggettivo.
REALLY messo davanti a un aggettivo lo trasforma in un **superlativo assoluto**. Quelle parole che finiscono per **-ISSIMO** oppure **-ISSIMA**.

Io sono felice.	**I'm happy.**
Io sono molto felice.	**I'm very happy.**
Io sono felicissimo.	**I'm really happy.**

Are you really happy too?

ESERCIZIO 25

Traduci questo dialogo fra Olivia e la sua amica Imma. Le due amiche si incontrano per strada, si riconoscono da lontano e cominciano a fare dei gridolini strani, poi improvvisamente si bloccano come i cervi che attraversano la strada di notte, una di fronte all'altra, con la bocca spalancata e dicono:

1. O: Wow! Sei bellissima!

   ....

2. I: Anche tu sei bellissima!

   ....

(Si danno tre bacini sulle guance, smack smack smack)

3. O: Allora, come stai? *Mamma mia!** La tua borsa è nuovissima! È una Praga?

   ....

4. I: Sì, lo è! Ed è anche molto costosa (*expensive*).

   ....

5. O: Sei molto fortunata! Adesso dai un'occhiata al mio cappotto (*coat*) nuovo...

   ....

6. I: È bellissimo!

   ....

7. O: Sì, è bellissimo ma è troppo grande.

   ....

8. I: Non per te. Per (*for*) me è grandissimo, ma per te è ok, perché non sei molto magra, dai... (*come on...*)

   ....

9. O: Scusami?

   ....

10. I: Non è troppo grande per te, è perfetto (*perfect*)!

....

11. O: Ah! Imma, la mia amica bassissima e poverissima (senza una Praga) pensa che io sono grassissima.

....

12. I: Tu sei molto grassa adesso.

....

13. O: Non sono grassa, sono incinta (*pregnant*). E il padre è tuo marito. Ah ah ah!

....

14. I: Davvero?

....

* *Mamma mia!* è internazionale, lo sa tutto il mondo.

NOT TO BE CONTINUED...

NOTA EDITORIALE

Raramente noi interveniamo nel lavoro degli autori. Ma questa storia sta diventando molto ridicola (*very ridiculous*, anzi *really ridiculous!*) e sinceramente abbiamo un po' paura a farla continuare.

REALLY E GLI AVVERBI

Are you ready? **Are you really ready?** Sei davvero pronto? Qui *really* significa "davvero, veramente"; infatti REALLY è un avverbio, cioè una parola che descrive un modo. È formato da: **REAL** (vero, reale) **+ LY = REALLY**.

In inglese ci sono avverbi che si formano così, molto facilmente, come ti ho appena mostrato con *really*. Aggiungendo il suffisso *-LY*, un aggettivo diventa AVVERBIO di modo, *yellow word*. Tutte le parole che in italiano finiscono con -MENTE sono avverbi. Guarda questi esempi:
Raramente = **RARELY** (*rare + ly*)
Solitamente = **USUALLY** (*usual + ly*)
Tristemente = **SADLY** (*sad + ly*)
Chiaramente = **CLEARLY** (*clear + ly*)
Lentamente = **SLOWLY** (*slow + ly*)
Quindi ricorda: quando in italiano una parola finisce con -mente ed è un avverbio, in inglese finisce con -LY.
EeE 16 – Adverbs

PREPOSIZIONI AT, IN, ON

Adesso entriamo nel mondo delle preposizioni che sono la colla della lingua inglese. Ci è già capitato lungo il cammino che abbiamo fatto fin qui di incontrarne. Adesso le guardiamo nel dettaglio perché sono parole molto importanti. Per iniziare ne ho scelte tre:
AT – IN – ON per indicare un luogo, in inglese **a place**.
Ricordi dove le abbiamo già viste? AT the karaoke, IN the restaurant, ON the floor. Qual è la differenza fra le tre?

AT Indica un punto fisso, il punto preciso in cui si trova una persona o un oggetto.
Concy is at the supermarket. (Concy è al supermercato.)

IN Indica che qualcosa o qualcuno si trova all'interno di un'area chiusa e circoscritta.

Concy is in the bathroom. (Concy è in bagno.) È dentro uno spazio con confini ben definiti e ci trascorre pure ore e ore.

ON Indica che un oggetto o una persona è sopra una superficie con contatto (appoggiato).

I'm on my bed. (Io sono sul mio letto.) Nel senso che sono sdraiato o seduto sul letto e c'è contatto fra me e la sua superficie.

ESERCIZIO 26

Ora ti regalo un mucchio di parole con cui puoi tradurre queste frasi:

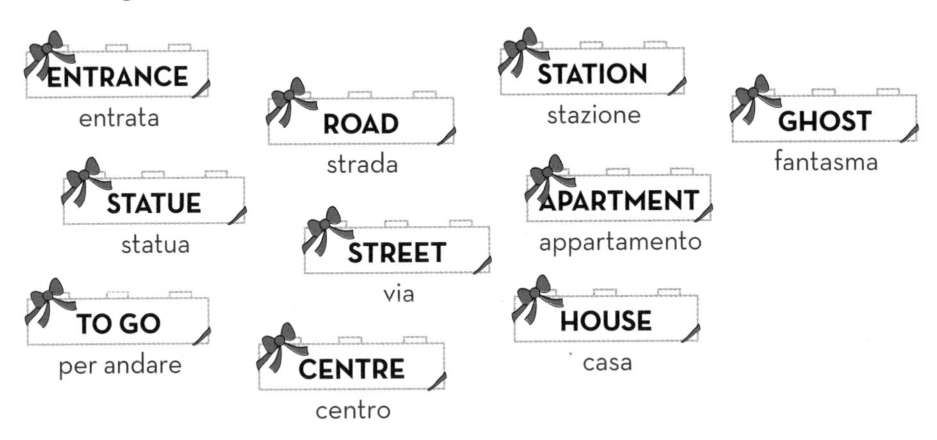

1. Lui è al bar con il suo amico.

....

2. Io sono all'entrata della stazione.

....

3. Il mio ketchup è sul suo (*di lui*) tavolo.

....

4. Lui vive al sesto piano.

5. C'è una donna pazza nel suo (*di lui*) appartamento.

6. Io adesso sono nella mia macchina sulla strada per Roma.

7. C'è un fantasma sul letto in questa casa.

8. Lui è al cinema alla fine della via.

9. Lei lavora (*works*) sull'autobus a Londra.

10. Al centro di Lecce c'è una statua alla fine della strada.

E adesso continuiamo sempre con le stesse preposizioni di prima:
AT – IN – ON per indicare un tempo, in inglese **time**.

AT Indica un'ora precisa: *at noon* (a mezzogiorno), *at lunchtime* (all'ora di pranzo), *at dinner time* (all'ora di cena) e così via.
Linda wakes up at 11 o' clock. (Linda si sveglia alle 11.)
Stella is at work at 3 o' clock . (Stella è al lavoro alle 3.)
Concy gets up at lunchtime. (Concy si alza all'ora di pranzo.)

ON Indica una data o un giorno; se ci pensi sono la stessa cosa perché una data specifica un giorno. Per esempio: *on Monday* (lunedì), *on my birthday* (compleanno), *on Wednesday evening* (mercoledì sera), *on the 25th December or on Christmas day* (il giorno di Natale). Un trucchetto per ricordarti che sul giorno si mette **ON**: pensa al tuo indice, lo punti sul (*on*) calendario sul (*on*) giorno che ti interessa.

On Sundays I watch the game. (Di domenica guardo la partita.)

Per dire "di domenica" o "tutte le domeniche" scrivi *on Sundays*. Aggiungi la **S** alla fine del nome del giorno e vale per tutti i giorni della settimana.

GIORNI DELLA SETTIMANA

Here are the **DAYS of the WEEK**: i giorni della settimana. In inglese i giorni della settimana e i mesi dell'anno si scrivono sempre con l'iniziale maiuscola. È una questione di forma, ma ricordati di farlo. Continua a seguirmi nelle lezioni audio su **www.johnpetersloan.com**, mi raccomando!

Lunedì	**MONDAY**
Martedì	**TUESDAY**
Mercoledì	**WEDNESDAY**
Giovedì	**THURSDAY**
Venerdì	**FRIDAY**
Sabato	**SATURDAY**
Domenica	**SUNDAY**

IN Un trucchetto infallibile: se il momento di tempo che devi indicare non è un'ora esatta (per la quale usi *at*) o un giorno (per il quale usi *on*) allora è per forza **IN**. Si usa per dire *in the morning* (al mattino), *in the week* (nella settimana), *in the month* (nel mese), *in the year* (nell'anno), *in the century* (nel secolo), *in 2013*, *in the past* (nel passato), *in the future* (nel futuro) cioè per tutto il resto.

In the summertime I go to the mountains with my friends. (In estate vado in montagna con i miei amici.)

Rosy has her breakfast in the morning. (Rosy al mattino fa colazione.)

We are in 2014. (Noi siamo nel 2014.)

Tieni presente questa cosa: quando si usano parole come *night*, *midnight*, *midday* o *the weekend* usa **AT** non *IN*, sai perché? Perché a volte gli inglesi si devono complicare la vita... e non si sa perché.

ATTENZIONE! Adesso ti parlo di **STILL vs AGAIN**. Entrambe queste parole significano "ancora", ma con due significati diversi.

AGAIN indica un'azione che si ripete.

Kiss me again! (Baciami ancora!)

STILL indica un'azione che continua, perdura senza interruzione.

She is still here. (Lei è ancora qui.) Non è andata via per poi ritornare, è sempre stata qui.

ESERCIZIO 27

Vediamo se hai capito bene come utilizzare queste tre preposizioni di tempo.

1. Alle 2 p.m. io dormo.

   ....

2. All'ora di cena sono affamatissimo e stanchissimo.

   ....

3. All'ora di andare a letto (*bedtime*) Concy legge (*reads*) un libro a letto.

   ....

4. Faccio sempre una festa il giorno del mio compleanno.

....

5. Il sabato vado (*go to*) al parco con il mio cane.

....

6. Io lavo sempre (*always wash*) i miei piedi la domenica.

....

7. Siamo nel 21° secolo, ma Concy è ancora nel suo mondo (*world*) di principi (*princes*), rane e cavalli. Lei vive ancora nel passato.

....

8. È la settimana della moda (*fashion*) a Milano e Concy è felicissima. Io sono depresso (*depressed*).

....

9. Lei è ancora nella macchina.

....

Ricorda che quando in una frase ci sono le parole **LAST** (ultimo, scorso), **EVERY** (ogni), **NEXT** (prossimo) o **THIS** (questo), non si usano né preposizioni né articoli.
Every week I call my mum. (Ogni settimana chiamo mia mamma.)
This week my mum is very busy. (Questa settimama mia mamma è molto occupata.)
Next week is fashion week. (La settimana prossima è la settimana della moda.)

DATA, MESI, STAGIONI

Quando devi dire (a voce, parlando) una data, devi farlo in forma estesa. Adesso ti porto come esempio la mia data di nascita e vedrai che userò tutte le preposizioni che abbiamo appena visto insieme. Prima però devo dirti che in inglese non si dice "sono nato" ma "ero nato": **I was born**.

Quindi:
I was born ON the 27th of February IN 1980 AT 6 IN the morning.
(Sono nato il 27 febbraio 1980 alle 6 di mattina.)

NOTA EDITORIALE
Ci teniamo a ricordare che NON ci assumiamo alcuna responsabilità per le ripetute millanterie espresse dall'autore riguardo i suoi dati anagrafici.

27th significa "il ventisettesimo giorno", è un numero ordinale ti ricordi?
Breve ripassino:
1st = the first – 2nd = the second – 3rd = the third e così via. Se vuoi, vai a rivedere l'EeE 8 per tutti gli altri numeri.
Adesso tocca a te dire la data di nascita. Mi raccomando sulla precisione: giorno, mese, anno, ora e momento della giornata. E soprattutto le preposizioni!

....

Sono nato giorno mese anno ora momento

E ora prova a scrivere la data di nascita di altre tre persone, anche se so che non è scontato sapere l'ora. Pensa che quando ho chiesto a mia mamma qual era l'ora della mia nascita mi ha risposto: "*Are you crazy*? Ero lì sdraiata sul letto, un medico aveva una gamba, tuo padre l'altra, sudavo come un bue e secondo te dovevo guardare l'orologio?!".
Se non lo sai inventa, lo so che hai tanta fantasia.

Friend: ....

Relative: ....

Someone else: ....
(Qualcun altro)

Ah già, non ti ho ancora detto tutti i mesi, le stagioni e i momenti del giorno in inglese! Sei sempre pronto anche con le lezioni audio? Allora *let's go*!

Here are the MONTHS of the YEAR. (Ecco i mesi dell'anno.)
JANUARY = Gennaio
FEBRUARY = Febbraio
MARCH = Marzo
APRIL = Aprile
MAY = Maggio
JUNE = Giugno
JULY = Luglio
AUGUST = Agosto
SEPTEMBER = Settembre
OCTOBER = Ottobre
NOVEMBER = Novembre
DECEMBER = Dicembre

Here are the SEASONS of the YEAR. (Ecco le stagioni dell'anno.)
SPRING = Primavera
SUMMER = Estate
AUTUMN = Autunno
WINTER = Inverno

And the MOMENTS of the DAY. (E i momenti del giorno.)
MORNING = Mattino
AFTERNOON = Pomeriggio
EVENING = Sera
NIGHT = Notte

CASA E PREPOSIZIONI

Sono chiuso (*locked*) fuori da (*out of*) casa mia!
Ok lo ammetto, a volte cerco un po' di pace e mi nascondo da Concy negli angoli più impensabili della casa. Un giorno però lei era particolarmente arrabbiata e mi ha chiuso fuori. Appunto **OUT OF** (fuori da).
Out of è una preposizione di luogo. Ce ne sono molte altre, ecco le più importanti:

C'è una *schizo word*! Questi sono i suoi principali significati:

- vicino a, accanto, presso di; è sinonimo di **CLOSE TO** e **NEAR** (vicino a).

There are two women by that fire. It's very dangerous.
(Ci sono due donne vicino a quel fuoco. È molto pericoloso.)

- di, da; significa scritto, ideato, composto, fatto DA).

I love that book by Ken Follet and that film by Stephen King.
(Amo quel libro di Ken Follet e quel film di Stephen King.)

- non più tardi di, entro, per.

I'll finish my homework by 10 p.m. (Finirò i compiti entro le dieci di sera.)

• per mezzo di, tramite, con (riferito a un mezzo di trasporto).
I go to work by bus. (Vado al lavoro con l'autobus.)

ATTENZIONE!
Ho nominato la parola CLOSE; in base a come si pronuncia, cambia significato.

è un aggettivo e significa "vicino".

è un verbo e significa "chiudere".
Prova a ricordarti questa scena: chiudo la porta perché c'è una mosca di là. (*close* = chiudere). Oh no! C'è un serpente vicino a me (*close* = vicino)!

ESERCIZIO 28

Allora, vuoi sapere come sono finito chiuso fuori di casa? Leggi e traduci queste frasi, come sempre ti regalo le parole che non conosci.

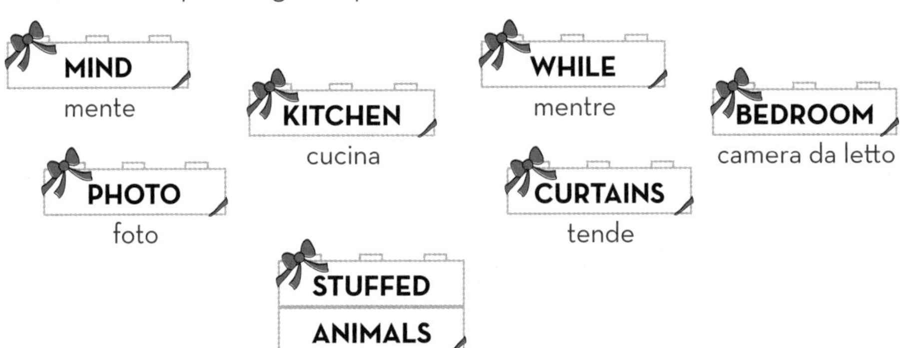

1. Oh no! Sono chiuso fuori di casa. È normale nella mia pazza casa.

2. Perché sono qui? Perché Concy è fuori di testa (la sua mente).

3. Io ero (*I was*) sotto il tavolo in cucina con il nostro cane.

4. Mia madre in Inghilterra dorme nella sua camera da letto e il suo gatto dorme sotto il suo letto.

5. Io dormo sempre nella mia camera da letto e il mio cane dorme sul mio letto.

6. Accanto al mio letto c'è una foto di te.

7. Tra i miei pupazzi di peluche ci sono un cammello e uno squalo.

8. Concy adesso è nel mio ufficio e io sono dietro le tende.

9. Concy è adesso davanti alle tende.

10. Concy adesso è di fronte a me.

Se vuoi puoi fare un salto alla sezione EeE per scoprire altre preposizioni di luogo in inglese.
EeE 17 – More prepositions

FOR E TO

Dedico un piccolo paragrafo a queste due preposizioni, **FOR** e **TO**, perché è importante fare una chiara distinzione fra le due. Con entrambe queste parole puoi dire "per" in inglese.
Fai attenzione a come si usano:

I go to the pub for the beer. (Vado al bar per la birra.)
FOR + SOSTANTIVO

I go to the pub to have fun. (Vado al bar per divertirmi.)
TO + VERBO

ESERCIZIO 29

Cimentati in queste traduzioni. Occhio a utilizzare bene FOR e TO!

1. Tu vai a scuola (*school*) per imparare (*learn*).

   ……………………………………………………………

2. Lui va in vacanza per rilassarsi (*relax*).

   ……………………………………………………………

3. Lui va al ristorante per mangiare.

   ……………………………………………………………

4. Lei va al ristorante per il cameriere (*waiter*).

   ……………………………………………………………

5. Io vado in Sardegna (*Sardinia*) per il mare (*sea*).

   ……………………………………………………………

6. Loro vanno a Londra per vedere (*see*) la regina (*Queen*).

....

7. Noi andiamo a Londra per il cibo.

....

8. Lui va al parco per il cane.

....

9. Io vado al parco (*park*) per dormire (*sleep*).

....

10. Lei va là per lui, lui va là per essere con lei.

....

E adesso facciamo un gioco.

ESERCIZIO 30

Where is the monkey?

Come ti stavo raccontando prima, a volte mi nascondo per casa...
Aiuta Concy a scoprire dove mi sono nascosto.
Prima però devi descrivere la stanza e gli oggetti che vedi e poi devi dire dove mi sono nascosto usando la corretta preposizione. Attento perché non sempre mi nascondo da solo...
In my house there are many rooms (stanze).

THE BEDROOM = la camera da letto
THE BATHROOM = il bagno
THE LIVING ROOM = il soggiorno
THE KITCHEN = la cucina
THE GARDEN = il giardino

IN THE BEDROOM THERE IS: ONE BIG BED, ONE RUG ON THE FLOOWR AND ONE LAMP. WHERE IS JOHN? JOHN IS UNDER THE RUG AND THE MONKEY IS IN THE WARDROBE.

LIVING ROOM
WINDOW
TV
COFFEE TABLE
SOFA

KITCHEN
TABLE
CHAIR
SINK
OVEN

SFATIAMO IL MITO!

BOX vs **GARAGE**

Un giorno non riuscivo a trovare parcheggio allora ho chiesto a un mio amico: "Where is your car?". Lui candidamente mi ha risposto: "It's in the box!"
Ho pensato che la sua macchina dovesse essere davvero piccola per poterla mettere in una scatola. Avrebbe dovuto dirmi: "**My car is in the garage**".
BOX = scatola

PREPOSIZIONI DI MOVIMENTO

Quando in inglese vuoi parlare di *motion* (movimento), è importantissimo utilizzare la preposizione di moto corretta.

TO vuol dire "a" e si usa quando ci si sposta verso un luogo.
I go to work on foot. (Vado al lavoro a piedi.)
I go to bed on foot. (Vado a letto a piedi.)
I go to the market on foot. I haven't got a car. (Vado al mercato a piedi. Non ho una macchina.)

FROM vuol dire "da" e si usa quando ti sposti da un luogo.
I come from Birmingham. (Vengo da Birmingham.)
I come back from work.(Torno dal lavoro.)
I come back from the park. (Torno dal parco.)
Ricordi quando avevamo già visto la *gold word* **from**?

INTO = IN + TO si usa per indicare un movimento da fuori a dentro.
I go into the kitchen to get some food. (Entro in cucina per prendere del cibo.)
I drive my car into the garage. (Guido la macchina dentro il garage.)
Concy drives my car into the wall. (Concy guida la mia auto dentro il muro.)

ONTO = ON+TO si usa per indicare un movimento che va dal non essere sopra qualcosa all'esserlo.
My dog jumps onto my bed. (Il mio cane salta sul mio letto.)
Her cat jumps onto by bed. (Il suo gatto salta sul mio letto.)
All animals jump onto my bed. (Tutti gli animali saltano sul mio letto.)

ESERCIZIO 31

E adesso facciamo un mega esercizio di traduzione con tutte le preposizioni di moto. Ripassa bene i concetti e preparati... *let's go!*
Se non conosci qualche parola, la troverai di certo in questo elenco:
take (portare), **beach** (spiaggia), **every day** (tutti i giorni), **flight** (volo), **arrive** (arrivare), **run away** (scappare), **can see** (riuscire a vedere), **submarine** (sottomarino), **put** (mettere), **salt** (sale), **try** (provare), **boat** (barca), **climb** (arrampicarsi), **need** (avere bisogno di).

1. Vado al mercato di lunedì.

   ....

2. Vado al cinema con mio papà.

   ....

3. Porto il mio cane al parco di domenica.

   ....

4. La mia mamma va al mercato di martedì senza di me.

   ....

5. Vado in spiaggia nei weekend in estate con il mio amico.

   ....

6. Lei torna dal lavoro tutti i giorni alle 8.00 p.m.

   ....

7. Il volo da Santo Domingo arriva alle 2.00 p.m.

   ....

8. Scappo da casa (*home*) tutti i mercoledì.

   ....

9. Elton John viene da Londra.

....

10. Il loro figlio torna da scuola alle 4.00 p.m.

....

11. Riesco a vedere il mare dalla mia finestra.

....

12. Lui entra nel bar per bere un drink.

....

13. Io voglio andare nel sottomarino giallo.

....

14. Di mattina Concy mette del sale nel mio caffè.

....

15. La mamma di Concy viene a casa mia quando non ci sono.

....

16. Salta sulla barca! Sono spaventato.

....

17. Provo ad arrampicarmi sul letto.

....

18. Lui ha bisogno di arrampicarsi sulla sedia per baciarla.

....

19. (*Esso*) è caduto (*fell*) sul balcone.

....

20. Metti quel tappeto sul pavimento, per favore.

....

TANTO, TANTI

Le parole **MUCH**, **MANY** e **A LOT OF** traducono le parole "tanto" e "tanti", ora ti mostro come si usano.

MUCH significa "molto" e si usa nelle frasi interrogative e negative con i sostantivi *uncountables*. Ti ricordi? Sono quelli non numerabili.
Per esempio un giorno sono andato al centro commerciale con Concy...
Concy: **This place is fantastic! Come on! We haven't got much time!**
(Questo posto è fantastico! Dai! Non abbiamo molto tempo!)
John: **No, there isn't much time. Let's go home!**
(No, non c'è molto tempo. Andiamo a casa.)

MANY significa "molti" ed è utilizzato nelle frasi negative e interrogative con i sostantivi *countables*, quelli numerabili.
Un altro giorno Concy è venuta da me.
Concy: **Are there many women in your office?**
(Ci sono molte donne nel tuo ufficio?)
John: **No, there aren't. Just you.**
(No, non ce ne sono. Solo tu.)

A LOT OF significa "tanto" ed è utilizzato nelle frasi affermative sia con i sostantivi *countables*, sia con quelli *uncountables*. **LOTS OF** è sostanzialmente uguale, solo un po' più formale, io preferisco utilizzare *a lot of*.
Concy makes a lot of soup. (uncountable)
(Concy prepara tanta minestra.)
Concy has a lot of shoes. (countable)
(Concy ha tante scarpe.)
She talks a lot. (Lei parla tanto.)

THERE IS TOO MUCH SALT IN MY COFFEE!
C'è troppo sale nel mio caffè. Concy si sbaglia sempre...

Ricordi la *schizo word* TOO ? Uno dei suoi significati è "troppo". Possiamo combinarlo con le parole che abbiamo appena visto e otteniamo:

TOO MUCH: significa TROPPO e si usa davanti ai sostantivi singolari.
Don't put too much cheese in my sandwich. (Non mettere troppo formaggio nel mio panino.)
He puts too much make up on his face. (Lui si mette troppo trucco sulla faccia.)
There is too much rubbish on my balcony. (C'è troppa immondizia sul mio balcone.)

TOO MANY: significa TROPPO e si usa davanti ai nomi plurali.
Liz Taylor has too many ex-husbands. (Liz Taylor ha troppi ex-mariti.)
Don't give him too many beers. (Non dargli troppe birre.)
There are too many people in the lift. (Ci sono troppe persone nell'ascensore.)

Poco fa abbiamo visto insieme alcune stanze e oggetti della casa. In inglese "casa" si dice in due modi diversi: **HOME** e **HOUSE**. Sai qual è la differenza?
Home è la casa del cuore, quella dove ci sono i tuoi affetti... "*home sweet home*" (casa dolce casa). Mentre **house** è l'edificio, il posto fisico in cui abiti.
My house is big. (La mia casa è grande.)
Italy is my home. (L'Italia è casa mia.)
I go home. (Vado a casa.)
ATTENZIONE! Davanti a *home* non si mette mai la preposizione.

NELL'ARMADIO

Un giorno Concy era davanti all'armadio e ha strillato: "I haven't got enough clothes!!!". (Non ho abbastanza vestiti!!!)
Allora sono andato anch'io in camera per vedere...

DRESS = vestito da donna
SKIRT = gonna
BLOUSE = camicetta da donna
NIGHTDRESS = camicia da notte
PYJAMAS = pigiama
KNICKERS = mutandine da donna
BRA = reggiseno
TIGHTS = collant
SOCKS = calze
TROUSERS = pantaloni
SHIRT = camicia da uomo
T-SHIRT = maglietta
JACKET = giacca
SHORTS = pantaloncini
TRACKSUIT = tuta
JUMPER = maglione
TIE = cravatta
BRACES = bretelle
BELT = cintura
GLOVES = guanti
SCARF = sciarpa
COAT = cappotto
RAINCOAT = impermeabile
CAP = cappellino con visiera
HAT = cappello
SLIPPERS = pantofole
SHOES = scarpe
SANDALS = sandali
BOOTS = stivali
HIGH HEELED SHOES = scarpe col tacco
TRAINERS = scarpe da tennis

I vestiti per una donna non sono mai abbastanza. **They are never enough**.

NOT ENOUGH = non abbastanza (è il contrario di "troppo").
It's really easy. Cambia solo il punto di vista:
I think there are too many clothes in her wardrobe.
(Io penso che ci siano troppi vestiti nel suo guardaroba.)
She thinks there are not enough clothes in her wardrobe.
(Lei pensa che non ci siano abbastanza vestiti nel suo guardaroba.)
There is too much stuff. (C'è troppa roba.)
There isn't enough stuff. (Non c'è abbastanza roba.)
STUFF è una parola fondamentale... in Italiano è "roba".

Eccoti due verbi che riguardano i vestiti:
TO PUT ON = mettere su, indossare.
I put my shirt on. (Metto su la mia camicia.)
TO TAKE OFF = togliere.
I take my shoes off. (Mi tolgo le scarpe.)

ESERCIZIO 32

Ormai sai quello che devi fare, giusto?

1. Ho troppo tempo libero (*free*).

   ....

2. Per favore apri la finestra fa troppo caldo qui dentro (*in here*).

   ....

3. Troppe persone vivono in questa casa.

   ....

4. Lei beve troppo whisky.

   ....

5. C'è troppo sale in questa pasta (*pasta*).

   ....

6. Sono troppo occupata per incontrarti oggi o qualsiasi altro (*any other*) giorno, scusa.

   ....

7. Sono troppo stanco per uscire dal (*to get out of the*) letto questa mattina.

   ....

8. Ci sono troppe api nel parco oggi (*today*).

   ....

9. Sei troppo alto!

10. Sono troppo in ritardo (*late*) per andare là.

ESERCIZIO 33

E questo è l'ultimo!

1. Alle nove del mattino Concy è di fronte al suo armadio.

2. Poi *(then)* lei si mette la sua camicetta rossa e la sua gonna nera.

3. Poi si toglie le sue scarpe e mette la mia maglietta gialla.

4. Poi si toglie la gonna e si mette i miei pantaloni verdi.

5. Poi si mette le mie scarpe da tennis e si toglie la mia maglietta gialla.

6. Poi si mette il mio cappotto nuovo con la sua borsa vecchia.

7. Alle dieci Concy è in bagno di fronte allo specchio (*mirror*).

8. Poi si toglie il cappotto e la borsa e mette la sua giacca rosa.

9. Poi si toglie le mie scarpe e mette i suoi stivali arancioni.

....

10. Alle 10.30 Concy prende il mio portafoglio (*wallet*).

....

BLOCK 9

NINE

TO GET

CAMBIO DI STATO

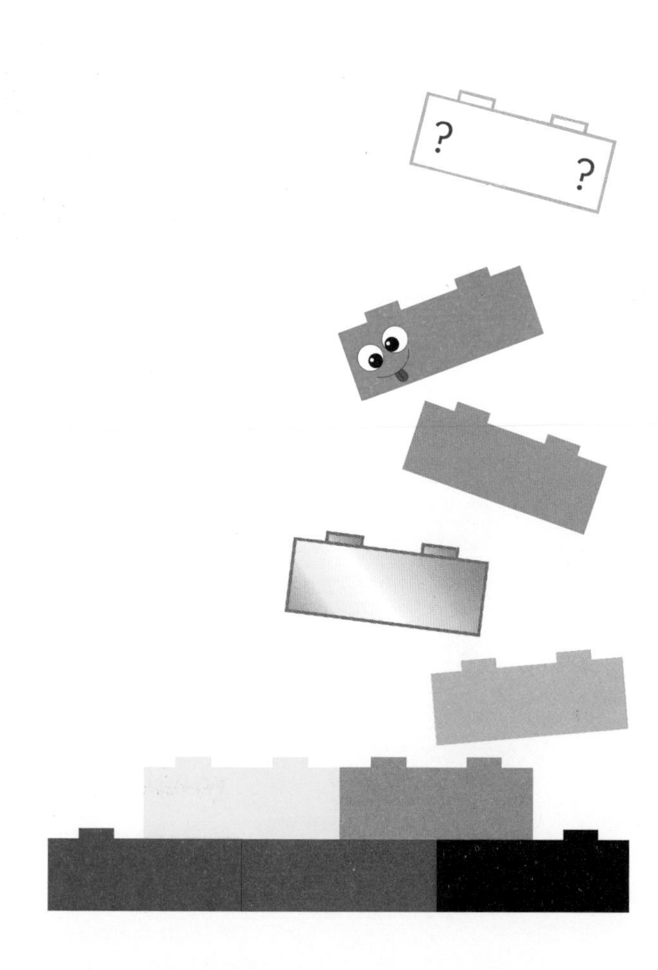

BLOCK NINE

CAMBIO DI STATO

GET è un verbo anglosassone fondamentale, in inglese è come il prezzemolo (come dite voi), è dappertutto. Infatti avete ragione, vedo sempre il prezzemolo sulle patate, sul pesce, sulla pizza...

> **NOTA EDITORIALE**
> La Casa Editrice declina ogni responsabilità per l'ignoranza culinaria dell'Autore.

Il verbo **get** principalmente indica un cambio di stato, andare da una cosa a un'altra. È proprio un'altalena. Per esempio:
I GET ANGRY = mi arrabbio. Vuol dire andare da sereno ad arrabbiato.
I GET WET = mi bagno. Significa andare da asciutto a bagnato.
TO GET MARRIED = sposarsi. Vuol dire andare da felice a fregato.

Vedi come l'altalena **get** ti porta da uno stato all'altro?
Questo è un verbo **fondamentale** in inglese, perché nella vita le cose cambiano in continuazione. Quando si va da uno stato all'altro, **get** va sempre bene.

Riprendiamo **WHEN**, la parola che significa "quando". È una *question word* e si usa sia nelle domande sia nelle frasi affermative, come in italiano.

? **WHEN** ?

When Concy is here with me, I'm happy!
(Quando Concy è qui con me, sono felice!)
Why is she here? (Perché lei è qui?)

Adesso ti regalo dei verbi che ti serviranno per fare l'esercizio successivo:

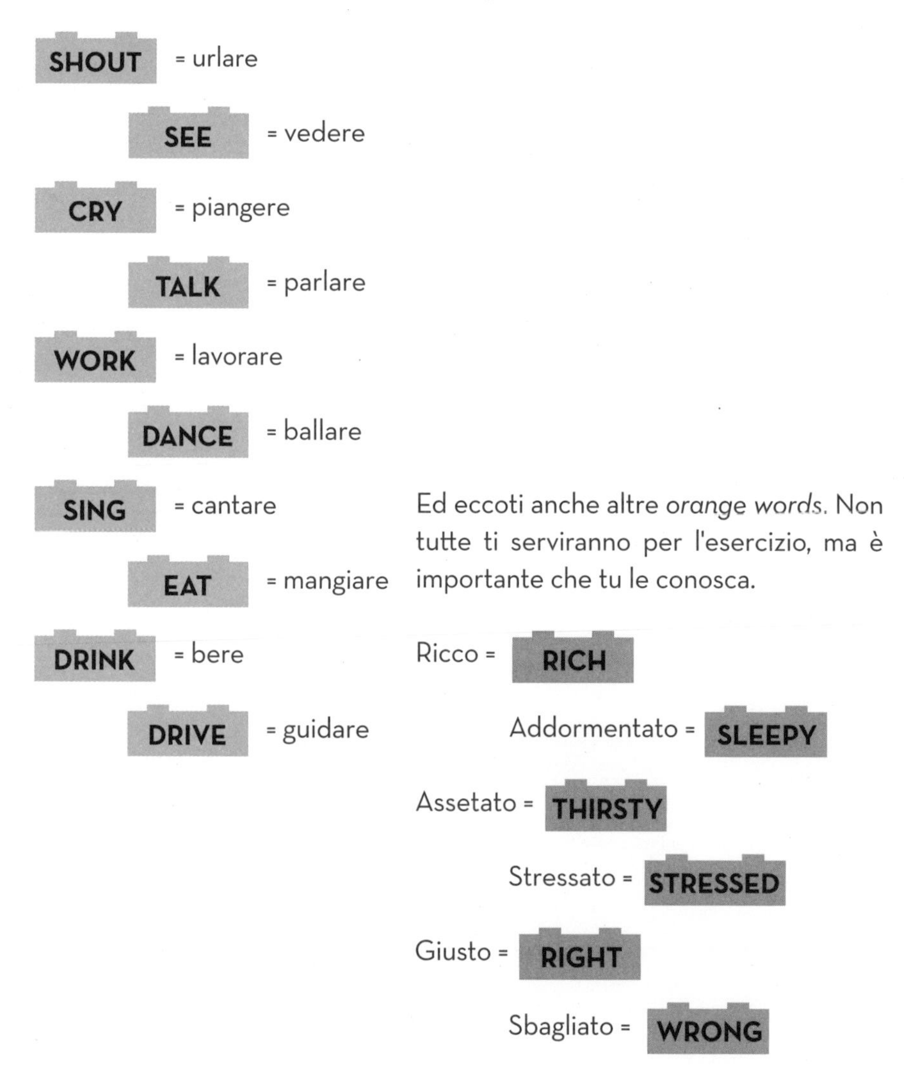

SHOUT = urlare

SEE = vedere

CRY = piangere

TALK = parlare

WORK = lavorare

DANCE = ballare

SING = cantare

EAT = mangiare

DRINK = bere

DRIVE = guidare

Ed eccoti anche altre *orange words*. Non tutte ti serviranno per l'esercizio, ma è importante che tu le conosca.

Ricco = **RICH**

Addormentato = **SLEEPY**

Assetato = **THIRSTY**

Stressato = **STRESSED**

Giusto = **RIGHT**

Sbagliato = **WRONG**

ESERCIZIO 34

Utilizzando il verbo **get** come cambio di stato e le *green words* che ti ho appena dato, traduci queste frasi. *Go!*

1. Mi arrabbio quando urli.

   ....

2. Divento timido quando ti vedo.

   ....

3. Divento triste quando piangi.

   ....

4. Mi annoio quando parli.

   ....

5. Mi stanco quando lavoro.

   ....

6. Ballo e canto quando mi ubriaco.

   ....

7. Divento ricco quando tu lavori.

   ....

8. Quando mi viene fame, mangio.

   ....

9. Quando mi viene sete, bevo.

   ....

10. Divento stressato quando guido a Napoli.

    ....

Ricordati sempre che le risposte sono alla fine del libro... non sbirciare!

Ok, quelle che abbiamo visto adesso sono tutte situazioni in prima persona. Ma quando parli degli altri? Semplice, basta aggiungere una **S** alla fine del verbo, ma solo alla terza persona singolare *(he, she, it)*, mentre tutte le altre *(I, you, we, they)* rimangono uguali. Per esempio:
GET – **GETS**
WALK – **WALKS**
DRINK – **DRINKS**
SING – **SINGS**

Guarda come cambiano le frasi:
I get tired when I walk. (Io mi stanco quando cammino.)
She gets tired when she walks. (Lei si stanca quando cammina.)
When I drink whisky, I get drunk and sing. (Quando bevo whisky, mi ubriaco e canto.)
When he drinks whisky, he gets drunk and sings.
(Quando beve whisky, si ubriaca e canta.)
When they drink whisky, they get drunk and she gets angry.
(Quando bevono whiskey, si ubriacano e lei si arrabbia.)

Vedi che si aggiunge la **S** solo al verbo della terza persona singolare? Per l'esercizio qui sotto ti serviranno anche **both** (per due persone) e **all** (tutti), che abbiamo già visto al *Block 3*.

SILLY
sciocco, stupido

ESERCIZIO 35

E adesso traduci queste frasi; mi raccomando, fai attenzione alla terza singolare.

1. Le viene sonno quando beve.

....

2. Ci arrabbiamo quando siamo affamati.

....

3. Mi ubriaco con voi due.

....

4. Lui si ubriaca con voi tutti.

....

5. Loro diventano stupidi quando bevono con te.

....

TO GET TO

Get significa anche "raggiungere" se seguito dalla preposizione **TO** (che significa "a"); quindi **GET TO** implica un movimento. Questa è la frase:

I get to work by bus. (Arrivo al lavoro / raggiungo il lavoro in l'autobus.)
She gets to school on foot. (Lei va a scuola a piedi.)

ESERCIZIO 36

Ora mettiti alla prova con queste traduzioni. Ricordati di utilizzare **get to**. *Ready? Let's go.*

1. C'è troppa neve (*snow*), mio figlio non può (*can't*) andare a scuola.

....

2. Gino arriva sempre (*always*) tardi (*late*) al lavoro.

....

3. Gino va sempre al pub presto (*early*).

....

4. Pino va sempre al lavoro in autobus.

5. Pina non può andare al lavoro oggi.

6. Oggi non posso andare in palestra (*the gym*) perché piove.

7. Lei arriva da me sempre tardi.

8. Pino va sempre allo stadio (*stadium*) in tempo (*on time*).

9. Mai (*never*) raggiungo il telefono (*phone*) in tempo. (*Frase affermativa!*)

10. Raggiungo sempre il centro (*centre*) a piedi.

Adesso vediamo una nuova *schizo word*: 

Ha molti significati e principalmente viene utilizzato come verbo. Questi sono i suoi significati più importanti e più frequenti:
Play = giocare. **I play football on Mondays.** (Gioco a calcio di lunedì.)
Play = suonare. **You play the guitar very well!** (Suoni la chitarra molto bene!)

È anche un sostantivo.
Play = opera teatrale. **Let's go to the theatre; that play is wonderful!** (Andiamo a teatro; quell'opera è magnifica!)

IL TUTTO E IL NIENTE

Anybody, everybody, anything, nothing, everywhere, etc... parole che dicono tutto e niente, molto utili e molto frequenti. Spesso i miei studenti mi chiedono cosa significano e come possono essere usate. Sembrano tutte uguali e tutte diverse allo stesso tempo; guarda queste distinzioni e sarà tutto più facile. Intanto distinguiamo se stiamo parlando di: **PERSONE**, **COSE** o **LUOGHI**.

PEOPLE – persone

SOMEONE o **SOMEBODY**	**ANYONE** o **ANYBODY**	**NO-ONE** o **NOBODY**	**EVERYONE** o **EVERYBODY**
Qualcuno, una persona, ma non si sa chi.	Qualcuno?	Nessuno.	Tutti, ognuno.

There is someone / somebody. (C'è qualcuno. Chi è? Boh!)
Is there anyone / anybody? (C'è nessuno? Non risponde...)
There isn't anyone / anybody. (Non c'è nessuno. Menomale.)
No-one is here. (Nessuno è qui. Ho capito.)
There is nobody. (Non c'è nessuno. Ancora?! Ho capito!!!)
Everybody is here. (Sono tutti qui. Devo preoccuparmi?)
Is everyone / everybody there? (Sono tutti lì? Ma tutti chi?)

THINGS – cose

SOMETHING	**ANYTHING**	**NOTHING**	**EVERYTHING**
Qualcosa, una cosa, ma non si sa cosa.	Qualcosa? Niente?	Niente, nulla.	Tutto.

There is something here. (C'è qualcosa qui. Mistero...)
Have you got anything for me? (Hai qualsiasi cosa per me? Figurati!)
I don't see anything. (Non vedo niente. Maledetta Guinness!)
I have nothing. (Non ho niente. Non avevo dubbi.)
He has everything. (Lui ha tutto. Tranne che personalità.)

PLACES – luoghi

SOMEWHERE	ANYWHERE	NOWHERE	EVERYWHERE
Da qualche parte, in qualche luogo, ma non si sa dove.	Qualsiasi posto.	Da nessuna parte.	Ovunque, dovunque, dappertutto, da tutte le parti.

He's somewhere. (È da qualche parte. Sii più preciso...)
He's everywhere. (È dappertutto. Mi arrendo.)

ESERCIZIO 37

Ti invito a tradurre questa mia struggente poesia d'amore.

I have everything but you
(*Ho tutto tranne te*)

Tu non sei nessuno. ....

Tu non sei niente. ....

Tu non hai niente. ....

Ma tu sei tutto per me. ....

Non c'è nessuno. ....

Non c'è alcuno. ....

Nessuno, come te. ....

C'è qualcosa da dire. ....

Tu non hai niente. ....

Ma sei tutto per (*to*) me. ....

Forse *(maybe)* da qualche parte. ....

Da qualsiasi parte. ....

C'è qualcuno come te. ....

No, da nessuna parte. ....

E io vado ovunque senza di te. ....

Io sono nessuno. ....

Ma c'è qualcosa. ....

Ho tutto tranne te. ....

TIME INDICATORS

Quelle che io chiamo *time indicators* sono delle parole che mettono in relazione temporale due o più avvenimenti, collocandoli esattamente in un certo momento. Ho raggruppato le principali in un elenco con degli esempi.

- **AFTER** = dopo (se quello che segue è un verbo, dev'essere al Gerundio, cioè devi aggiungere -ING alla fine del verbo).
  After running. (Dopo aver corso.)
  After work. (Dopo il lavoro.)
- **AGO** = fa (dice quanto tempo fa è successa una cosa).
  Seven years ago. (Sette anni fa.)
- **AS LONG AS** = finché, basta che.
  As long as you work, there will be no problem. (Basta che lavori, non ci saranno problemi.)
- **BEFORE** = prima di (qualcosa).
  Before Christmas. (Prima di Natale.)
- **BETWEEN** = tra (separa due momenti nel tempo).
  Between Monday and Friday. (Tra lunedì e venerdì.)
- **BY** = entro, non più tardi.
  By Thursday. (Entro giovedì.)
- **DURING** = durante (un periodo di tempo).
  During the holidays. (Durante le vacanze.)
- **FOR** = per (un periodo di tempo).
  For five weeks. (Per cinque settimane.)
- **FROM ...TO / FROM ...UNTIL / FROM ...TILL** = da ...a.
  From Monday to Wednesday. (Da lunedì a mercoledì.)
  From Monday until Wednesday. (Da lunedì a mercoledì.)
  From Monday till Wednesday. (Da lunedì a mercoledì.)
- **SINCE** = da (riferito a un tempo che parte dal passato).
  Since Tuesday. (Da martedì.)
- **TODAY** = oggi.
  Today you are with me. (Oggi sei con me.)
- **TOMORROW** = domani.
  Tomorrow I'll be with you. (Domani sarò con te.)
- **UNTIL / TILL** = fino a (sono uguali nel significato, ma *till* è un po' più informale).
  Until / till tomorrow. (Fino a domani.)
- **UP TO** = non più di.
  Up to six hours a day. (Non più di sei ore al giorno.)

• **YESTERDAY** = ieri.

Yesterday I was with you. (Ieri ero con te.)

• **YET** = non ancora.

He's not here yet. (Lui non è ancora qui.)

ESERCIZIO 38

1. Dopo cena esco (*I'm going out*).

....

2. Durante l'inverno non esco (*don't go out*).

....

3. Non sono felice finché ti vedo.

....

4. Basta che stai con me.

....

5. Lavoro per cinque settimane.

....

6. Finché sei qui, sarò (*I'll be*) felice.

....

7. Posso aspettare (*I can wait*) fino a 5 giorni.

....

8. Voglio che tu finisca entro le quattro.

....

9. Non è ancora Natale.

....

10. Ti vedrò (*I'll see you*) tra lunedì e mercoledì.

....

ESERCIZIO 39

Traduci in inglese questa "giornata tipo", hai tutte le armi per farcela. *Go!*

Mi alzo al mattino, faccio una doccia, mi vesto (*get dressed*), faccio colazione. Alle 12 mi viene fame, quindi pranzo. Alle 3 del pomeriggio ho un meeting con il mio capo (*boss*), alle 6 vado a casa, ceno, mi spoglio (*get undressed*). Alla sera guardo la TV. A mezzanotte vado a letto. Durante la notte faccio un sogno sul (*about*) Birmingham City che vince (*winning*) ancora la Premiership.

PRONOMI POSSESSIVI

Come in italiano, anche in inglese ci sono i pronomi possessivi; permettono di sostituire dei sostantivi preceduti da aggettivi possessivi. La grande differenza rispetto all'italiano è che in inglese NON bisogna mai mettere l'articolo.

That pig is ugly, while mine is nice.
(Quel maiale è brutto, mentre il mio è carino.)
My house is small, but yours is really small.
(La mia casa è piccola, ma la tua è piccolissima.)
His friend is beautiful and yours is kind. I like them both.
(La sua amica è bella e la tua è gentile. Mi piacciono entrambe.)
Le parole evidenziate in rosso sono pronomi possessivi. Ormai dovrebbe essere facile per te ricordarli perché assomigliano molto agli aggettivi possessivi.

Il mio	**MINE**	MAIN
Il tuo	**YOURS**	I S
Il suo (di lui)	**HIS**	I S
Il suo (di lei)	**HERS**	S
Il suo (di esso/a)	**ITS**	ITS
Il nostro	**OURS**	AU AS
Il vostro	**YOURS**	I S
Il loro	**THEIRS**	TH'EI SCHWA S

ESERCIZIO 40

Voglio metterti alla prova. Sei già arrivato a buon punto e il tuo vocabolario è già piuttosto ampio. Nella prossima pagina troverai un *crossword* per ripassare alcune parole fra quelle che hai imparato finora. Vediamo se riesci a completarlo tutto senza sbirciare le soluzioni. *Are you ready?*

Across

3 Parola
4 Rana
6 Giovane
8 Affamato
11 Fortunato
14 Mela
15 Fragola
17 Fratello
18 Venti (20)

Down

1 Auto
2 Pazzo
4 Pavimento
5 Viola
7 Pesce rosso
9 Buon giorno
10 Sempre
12 Tempo meteorologico
13 Cena
16 Perché (nelle risposte)
19 Questo

1
2
3
4
5
6
7
8
9
10
11
12
13
14
15
16
17
18
19

Hello, I am the Daskalos.

Hai appena superato la parte più difficile e noiosa di questo libro; d'ora in poi ci sarà solo il bello e ti succederà ciò che non pensavi possibile. C'è qualcosa di molto speciale al di là del portone d'ingresso del Regno di Verbania e, con tutte le armi che hai a disposizione, dovresti raggiungerlo senza problemi.
Vivrai un'avventura fantastica accompagnato da JPS, colui che ti ha condotto fin qui tenendoti per mano. Insieme incontrerete molti personaggi, ognuno con le proprie particolarità; dai retta a ciascuno perché in Verbania tutti desiderano insegnarti qualcosa. Fai attenzione però, perché non incontrerai solo amici; qualcuno infatti tenterà di interrompere il tuo viaggio. Ma non avere paura! Non sei mai solo. JPS sarà sempre al tuo fianco e anch'io, spesso nell'ombra e silenziosamente, seguirò tutto il tuo cammino. Io sono la voce narrante di questa tua avventura, so già tutto quello che ti aspetta.
Durante il viaggio troverai lezioni di inglese nascoste nei dialoghi dei personaggi; sono segnalate lateralmente da una scritta verticale e una freccia. Sarai invitato a recarti nello Shed, un luogo speciale in cui puoi approfondire la grammatica ed esercitarti perché tu sia pronto ad affrontare tutte le prove che Verbania ti chiederà di superare. Se vorrai, al termine di questo straordinario percorso potrai rileggere la storia dall'inizio per ripassare tutti insieme gli argomenti trattati e vivere di nuovo l'avventura straordinaria che stai per iniziare.
Questo viaggio ti cambierà la vita e sono felicissimo e onorato di essere qui con te.
Ok, are you ready?

Se il gran cancello
vuoi aprire

presto l'ora
mi devi dire.
WHAT TIME
IS IT?

JPS Per prima cosa dobbiamo superare questa guardia. Ma qui ti aiuto io.
Let's go into the clock house.

CHIEDERE E DIRE L'ORA

JPS Allora, adesso ti insegno bene come si dice l'ora in inglese, perché ho il sospetto che questo ci capiterà più volte.
Per chiedere l'ora ormai sai che la domanda da fare è: **what time is it?**
Se invece vuoi chiedere educatamente l'ora a qualcuno che non conosci, magari uno che incontri per strada, devi dire: **excuse me, have you got the time, please?**
Immagina di dividere l'orologio a metà, così:

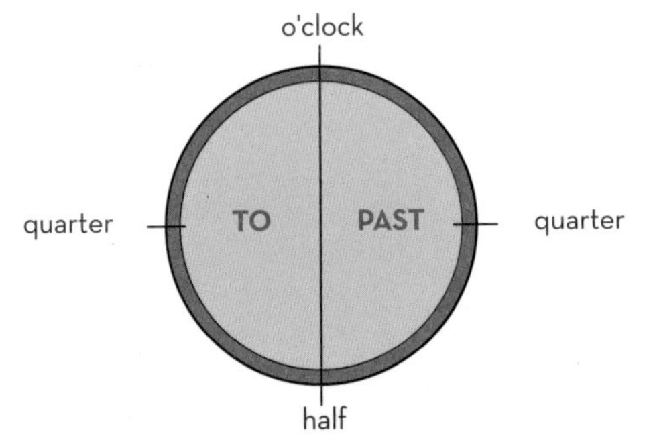

Per rispondere, prima devi dire i minuti e poi l'ora.
Innanzitutto ricorda queste due semplici informazioni, renderanno tutto più facile e non potrai sbagliare:
1 Se la lancetta dei minuti è nella metà destra (da 1 a 29 minuti) devi utilizzare la parola **PAST**.
2 Se la lancetta dei minuti è nella metà sinistra (da 31 a 59 minuti) devi utilizzare la parola **TO**.

Inizio a spiegarti gli orari più semplici:
- **2.00** (ora piena): **IT'S + NUMERO DELL'ORA + O'CLOCK**
It's two o'clock
- **2.15** (e un quarto): **IT'S + A QUARTER PAST + NUMERO DELL'ORA**
It's a quarter past two
- **2.30** (e mezzo): **IT'S + HALF PAST + NUMERO DELL'ORA**
It's half past two (infatti la parola *half* significa "metà")
- **2.45** (meno un quarto): **IT'S + A QUARTER TO + NUMERO DELL'ORA SUCCESSIVA** –*It's a quarter to three* (infatti *to* significa "a")

JPS E ora scendiamo sempre più nello specifico:
• Se vuoi dire un **orario esatto** e non è nessuno di quelli che ti ho appena detto, questo è quello che dovrai fare:
1 Fino alla mezz'ora, devi dire:
IT'S + NUMERO DEI MINUTI + MINUTES + PAST + NUMERO DELL'ORA – 2.22 = *It's twenty-two minutes past two*
2 Dopo la mezz'ora:
IT'S + NUMERO DEI MINUTI CHE MANCANO ALL'ORA SUCCESSIVA + MINUTES + TO + NUMERO DELL'ORA SUCCESSIVA
2.57 = *It's three minutes to three*
Attenzione! Se i minuti sono multipli di 5 (5, 10, 20, 25, 35, 40, 50, 55), NON serve aggiungere la parola *minutes*.
• 2.10 = *It's ten past two*
• 2.40 = *It's twenty to three*
Quando un'orario è scritto, è facile capire se è mattino o pomeriggio, giorno o notte. L'orario potrebbe essere scritto col sistema delle 24 ore (esempio: 18.15, 6.15) oppure tramite una divisione della giornata in due fasi, prima di mezzogiorno e dopo mezzogiorno, nel seguente modo:
6.00 a.m. = **mattino**
6.00 p.m. = **pomeriggio**
Ma nel parlato si dice semplicemente:
It's six in the morning oppure *it's six in the afternoon.*
Questo è l'elenco delle diverse fasi della giornata e delle giuste preposizioni da usare:
In the morning = di mattina
At noon = a mezzogiorno
In the afternoon = di pomeriggio
In the evening = di sera
At night = di notte
At midnight = a mezzanotte
C'è anche un altro modo per dire l'orario, molto utilizzato in America. Prima devi dire l'ora e poi i minuti.
• 7.45 = *It's seven forty-five*

TELLING THE TIME
TEST 1

Scrivi per esteso i seguenti orari:

1. Sono le 6.55 p.m.

....

2. Sono le 7.48 a.m.

....

3. Sono le 3.45 p.m.

....

4. Sono le 2.15 a.m.

....

5. Sono le 8.33 p.m.

....

6. Sono le 9.15 a.m.

....

7. A mezzogiorno.

....

8. Sono le 5.54 p.m.

....

9. Sono le 1.20 a.m.

....

10. Sono le 4.50 p.m.

....

JPS Ok, now let's go back to the guards.

JPS Well, ora hai le armi per rispondere bene. Prima però ti do un consiglio: in Verbania, quando troverai degli esercizi da fare, ti consiglio di utilizzare una matita, non scrivere a penna. Perché gli errori a penna non sono cancellabili, come le lacrime che ho versato io per le donne.

THE GUARD
TEST 2

Scrivi qui l'orario per esteso, please. ....

JPS Guarda quel sasso per terra, hai visto cosa c'è scritto? **WHO**. È importante la pronuncia, vedi che è sottolineata la W? La lettera sottolineata non va letta. **Who** vuol dire "chi". Le scimmie dicono bene questa parola.

JPS: JOHN
D: THE DASKA

D Hello.
JPS Who are you?
D Per favore, almeno salutiamoci prima di fare le domande.
JPS Hello, I'm John and this is my student. My student wants to learn English and I know this is the best way (*modo, percorso*).
D Best? Does your student know the comparatives and superlatives?
JPS No, he doesn't. He is da zero.
D Ah, ok. But please, at least (*almeno*) teach your student the comparative of good and bad.
JPS Senti, tu preoccupati del tuo lavoro che io penso al mio.
D Ok, allora li metto nello **SHED**, così quando vuole impararli va là.
JPS My student doesn't know what the Shed is... Lo Shed è la casetta di legno che si trova in giardino, ma qui a Verbania si trova al centro del paese. Dentro ci sono tutti quegli attrezzi utili che all'occorrenza devono essere sempre a portata di mano. Consiglio vivamente di andarci ogni volta che ti verrà suggerito di farlo. Apri lo Shed e ci guardi dentro: lì c'è un sacco di roba, per esempio un accenno ai comparativi e superlativi ma anche molto altro. Comunque, non ti preoccupare Rasta, ogni tanto ci penserò io a mandarlo nello Shed. È al *Block 11* di questo libro.

COMPARATIVI E SUPERLATIVI

SHED 1 COMPARATIVES AND SUPERLATIVES

Sai come si dice "buono" o "bravo"? **Good**.
Sai come si dice "cattivo" o "male"? **Bad**.
Per esempio: She is good, but he is bad. (*Lei è buona, ma lui è cattivo.*)
E se vuoi dire "migliore"? Si dice **better**.
E se vuoi dire "peggiore"? Si dice **worse**.

JPS Better e worse sono due comparativi (sono irregolari, ma sono i più semplici) e si usano quando fai un confronto fra due cose; poi aggiungi la parola **than** che le mette in relazione.
Per quelli regolari basta aggiungere **-er** alla fine dell'aggettivo e than.
She is better than him. (*Lei è meglio di lui.*)
He is worse than her. (*Lui è peggio di lei.*)
My car is faster than yours. (*La mia macchina è più veloce della tua.*)
Father Christmas is fatter than me. (*Babbo Natale è più grasso di me,* ma ancora per poco.)
Italy is hotter than England. (*L'Italia è più calda dell'Inghilterra.*)
Poi c'è anche il superlativo, ecco un esempio:
I am the **best** in the world. Vedi che qui la parola finisce con **-est** invece di finire con **-er**?
Comunque, tutta la lezione intera dove la trovi? In the Shed.

D Infatti, you are the worst teacher in the world.

JPS Excuse me?

D It's just an example.

JPD Who are you?

D I am the Daskalos but you can (*puoi*) call me the Daska. It is here that you start your journey (*viaggio*) with your registration. There are just five simple questions to answer.

REGISTRATION
TEST 3

1 What's your name? ________ ' ________ ________

2 Are you a man or a woman? ________ ' ________ ________ ________

3 Where are you now? ________ ' ________ ________ ________

4 Who is with you? ________ ________ ________

5 What is John's nationality? JOHN ________

D **Congratulations!** You know the first part of Simple Present very well. Infatti il primo utilizzo del Simple Present consiste nell'indicare cose che sono vere (o che almeno secondo te lo sono), tipo:
1 The sun is in the sky. (*Il sole è nel cielo.*)
2 You are a good student. (*Tu sei un bravo studente.*)
3 It's time for my lunch. (*È ora di pranzo.*)

JPS E questa è una cosa verissima, infatti Daska sta tirando fuori un panino.

D Comunque, vai a trovare l'altro importante utilizzo di Simple Present, before it gets dark. Take your prize (*premio*) and then go.

JPS Lo prendo io. Let's see what's in the bag.

JPS How old are you?
D Non si chiede l'età di una persona.
JPS No, quelle sono solo le signore.
D No, neanche tu mi puoi chiedere l'età.
JPS Listen, where do we GO TO now?

WROOOM...

JPS Hai chiamato un taxi?
D L'hai chiamato tu! È un **GO TO**. E per chiamarlo basta dire "GO TO", che significa "andare a". Attenzione, perché ogni volta che tu dici "go to" arriverà uno di questi veicoli che ti portano in giro.
JPS Ah, funzionano così le cose, qui? Allora: GO AWAY!

WROOOM...

D Ma guarda che ti serve il Go To per andare dall'altra parte...
JPS But how do we come back?

WREEEM...

JPS E questo cos'è?
D È un **COME BACK**. Il Go To serve per andare verso quello che cercate. Il Come Back serve per tornare indietro dopo che avete trovato quello che stavate cercando. E ricordati, è molto importante che alla fine di tutto il percorso che farete in Verbania torniate qui.

JPS Ok. Where do we start?

D La prima cosa in assoluto che dovete fare è imparare l'utilizzo principale del Simple Present, cioè il tempo verbale che serve a indicare le cose che fai abitualmente, le azioni che si ripetono o fai solitamente (azioni di routine come mangiare, andare al lavoro, dormire e così via). Ora andate e trovate un **GET TO** che è un ponte. Perché get to vuol dire "raggiungere, andare da una parte all'altra"; vedi che con get c'è sempre un cambio di stato? Non sapevi questo, eh?

JPS Io sì!

D Comunque si chiama Get To perché va da una parte all'altra e infatti qui in Verbania tutti i ponti si chiamano così.

JPS Bello. E come ci arriviamo a questo Get To?

D With a Go To.

JPS So we get to the Get To with a Go To?

WROOOM...

D Ok, get in.

Ha deciso di guidare JPS. La strada verso il Simple Present non è per nulla accidentata, ma non tutti i terreni di Verbania sono così tranquilli. A un certo punto JPS ha acceso la radio e c'era la mia canzone preferita. *Kiss me, touch me, give me your heart*; JPS ha iniziato subito a cantarla.
(*Puoi ascoltare la canzone sul sito www.johnpetersloan.com*)
Mentre JPS a occhi chiusi e travolto dalla passione cantava "Follow me, accept me for who I am", sono arrivati al Get To e lì hanno trovato me.

JPS How did you get to the Get To before us?

D Perché usi "did" che è passato, quando non siete ancora arrivati al passato?! Poi canti *Kiss me, touch me, give me*, che sono casi di Double Object, senza nemmeno spiegarlo al tuo studente, perché?!

JPS Sorry, I don't speak Italian.

D Ah sì? Vedete quegli alberi e quei cespugli oltre il ponte. Sono pieni di occhi che vi guardano. E orecchie che vi ascoltano. Perché Simple Present Land non è così semplice come possa sembrare...

JPS A me non fai paura, Rasta!

D Non mi chiamo Rasta.

JPS Pasta?

Non essendo un uomo violento, sono andato via.

COMPLEMENTO DOPPIO

JPS Ma chi è quello lì? Vabbe', allora ti faccio una breve lezione sul Double Object. Comunque puoi andare nello Shed per una spiegazione più approfondita.

SHED 2 DOUBLE OBJECT

Un verbo può essere seguito da due complementi. Rispondono alle domande "a chi?" e "cosa?". Per esempio:
I give her a kiss. (*Io le do un bacio.*)
Cioè, io do a chi? A lei (her). Cosa? Un bacio (a kiss).
E per la lezione intera, don't forget (*non dimenticare*) to go to the Shed.
And now, let's go!

Con molta prudenza hanno attraversato il GET TO; dall'altra parte c'era un vecchio ad attenderli.

ILV: IL VECCHIO

JPS Good morning, sir. How are you?

ILV Io vi accolgo, forestieri,
siete forse due stranieri?
Qui si parla il Simple Present,
sono le cose di tutti i giorni o che fai sempre.

JPS Min***a, siamo solo alla seconda filastrocca e già non c'è più la rima.

ILV Posso riprovare?

JPS Ascolta, decidetevi. Cinque minuti fa mi hanno sgridato perché non avevo ricambiato un saluto. Adesso io ti saluto e tu mi rispondi con una filastrocca che peraltro non fa neanche rima. Se Verbania fosse stato un labirinto sarebbe stato più facile attraversarla.

ILV Why are you here?

JPS My student is here to learn Simple Present.

ILV I need some verbs. I have the magic stones. Have you got the verbs?

JPS Yes, we have.

JPS e il suo studente si sono seduti col vecchio sull'erba. Il Vecchio ha quindi tirato fuori alcuni sassi magici dalla borsa che aveva con sé. Uno di questi sassi aveva una forma molto particolare ed era d'oro.

ILV Do you know why this stone is made of gold?

JPS Tell us, dicci.

ILV Because it's **DO**. And without it many questions will be impossible to ask in Simple Present. Now, watch what I do with do.

Molto lentamente Il Vecchio ha frugato nella sua borsa per prendere tutti i sassi magici che gli servivano.

ILV Guess (*indovina*) what is in this bag.

JPS Just tell us!

ILV Dear student, ora ti mostro i segreti della struttura del Simple Present con questi sassi magici. Il sasso verde che sto estraendo dalla mia borsa è un verbo.

LIKE

JPS Ah, è verde come i building blocks dei verbi che abbiamo visto prima di entrare in Verbania!

ILV Ora guarda la struttura. Si chiama Simple Present perché è semplice.

ILV

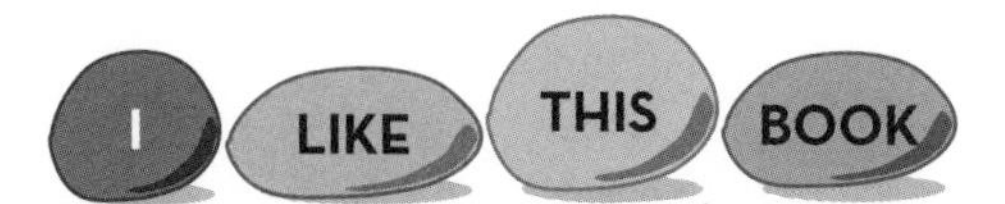

Se cambio soggetto e utilizzo he, she o it (terza persona singolare) devo aggiungere una S alla fine del verbo.

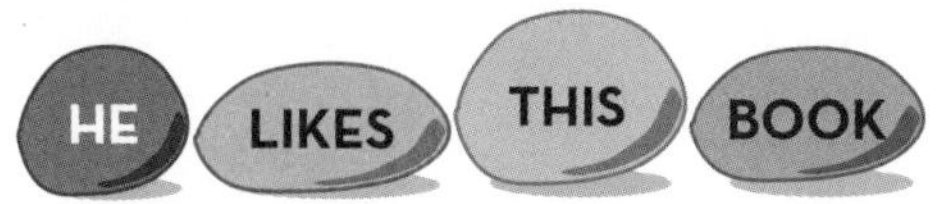

Se voglio fare delle domande devo prendere quel sasso speciale.
Sai perché ha una maschera? Perché è una parola che cambia ruolo quando la indossa. Il verbo do significa "fare". Se ha la maschera non agisce più come un normale verbo ma diventa elemento essenziale per fare domande o negazioni con il Simple Present. Guarda qui:

Appena appoggio il sasso mascherato, magicamente appare il sassolino "punto di domanda" alla fine della frase. E cambiando pronome, scelgliendo tra he, she o it (la terza persona singolare), il primo sasso si trasforma in **DOES**.

Ma attenzione! Con does NON bisogna aggiungere la S al verbo. Così c'è meno lavoro per te.

JPS Incredible... hai dimenticato la negativa!

ILV Non avevo finito! Comunque, se voglio una frase negativa in Simple Present faccio così:

ILV Posso unire i sassi così:

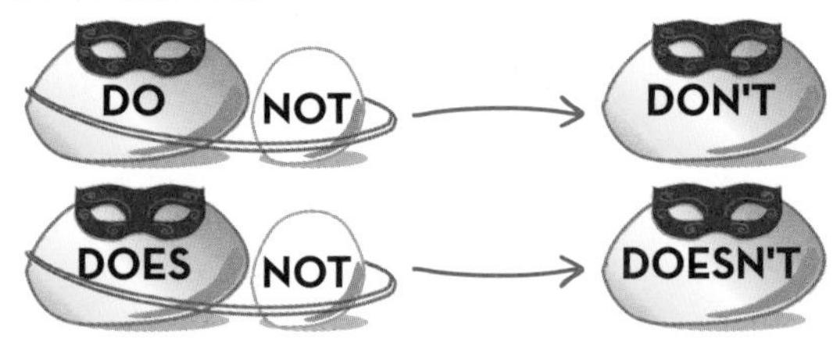

Si risponde alle domande usando sempre il sasso mascherato.

E ricordati di utilizzare does o doesn't con he, she o it.
Nello Shed c'è già pronta una spiegazione più approfondita riguardo al Simple Present. Peccato che là non ci saranno i miei sassi magici...

SHED 3 SIMPLE PRESENT

JPS Bravo, bella lezione. Meno male che ti ho ricordato di fare la forma negativa. Comunque... this is not magic. You moved the stones with your hands and anyway (*comunque*) I don't like magic.

ILV Number one, moved significa "spostato" quindi è Simple Past e non ci siamo ancora arrivati.
Number two, perché dici sempre "anyway"?
Does your student know what "move" means?
Does your student know what "like" means?
Does your student know what "means" means?

JPS Maybe.

ILV What do you mean "maybe"?

JPS Ok. Means significa "significa", maybe vuol dire "forse", like è "piacere" ma è anche "come". Are you happy now? Would you like (*ti piacerebbe*) to continue with your fake (*finta*) magic?

AVVERBI DI FREQUENZA

ILV My magic is always real.
JPS Always? Eh, bravo. Usi "always" quando sai benissimo che gli avverbi di frequenza non li sa ancora.
ILV Allora glieli spiego... Gli avverbi di frequenza sono parole che dicono ogni quanto compi una certa azione. Per qualcosa che fai sempre usi always; per ciò che fai solitamente, usually. Per qualcosa che fai spesso, often; per ciò che fai qualche volta, sometimes. Rarely vuol dire raramente e mai si dice never.
JPS E anche questo è nello Shed?

SHED 4 ADVERBS OF FREQUENCY

DO VS MAKE

ILV Of course, certo! È mio lo Shed. I made it.
JPS L'hai creato tu?
ILV Sì, bravo! E che coincidenza, volevo giusto parlare della differenza tra do e make. Entrambi significano "fare", ma mentre make significa fare nel senso di creare qualcosa che non c'era prima (cioè, alla fine dell'azione c'è un risultato), do vuol dire "fare" in generale, svolgere un'azione, eseguire, fare un lavoro e così via.
Qualcuno conosce la canzone *Quello che le donne non dicono*?
JPS Niente. Dicono tutto. Parlano sempre.
ILV Sì, ma cosa fanno in continuazione le donne quando parlano?
JPS Fanno tante domande. Anche se non sono interessate alle risposte.

PAROLE PER FARE DOMANDE

ILV Infatti, la prossima lezione è scritta da mia moglie. Perché lei fa tante domande. Quindi preparatevi bene con tutte le Question Words: what, which, when, where, who, how nello Shed.

SHED 5 QUESTION WORDS

JPS Why is the lesson in the Shed?
ILV Perché adesso dobbiamo andare.
JPS Where do you live?

LAV: LA VECCHIA

ILV I live here with my wife Lav.
JPS La Vecchia?
ILV Yes. We cook in the kitchen and we sleep in the bedroom.
JPS Wow, what an incredible story!
ILV Sometimes we eat in the living room. But often we eat in the kitchen, because we like our kitchen.
JPS This is pure Shakespeare.
ILV In the summer we always sleep in the garden because it's hot, but we rarely eat in the garden. In the winter my wife is never at home, so I usually just eat sandwiches in the winter, because I rarely cook if my wife is not here.
JPS Sì, ma che noia una vita fatta solo di Simple Present... zzzzzzzzzzzz...

LAV WHO ARE THESE PEOPLE?!
JPS Uh?
LAV What do you do?
JPS Ma Daska sa che qui nessuno saluta? Ma ogni tanto sgrida anche voi o l'ha fatto solo con me?
LAV What do you want?
JPS I want you to say "hello"!
LAV Hello, what do you want?
JPS My student wants to learn Simple Present.
LAV Where do you live?
JPS Why do you want to know where we live?
LAV When do you eat?
JPS When we're hungry; why do you ask questions when you don't listen to (*ascolti*) the answers?
LAV Which one of you is the teacher?
ILV I am the teacher.
JPS Excuse me?!
ILV Oh, sorry, sorry. Daska is a teacher, too.
JPS What do you think I do?

ILV You are the Go To driver (*guidatore*).
JPS The Go To driver?

WROOOM!!!

ILV Your Go To is here. Don't worry, you need it to get to INGland.
JPS INGland? Inghilterra?
ILV No, INGland perché "ing" fa parte del Gerundio. Quando in italiano un verbo finisce in -ando o -endo in inglese è -ing. Quindi INGland, la terra del Present Continuous. It is a very beautiful place, where people are always doING different things. Doing, "facendo". Really, I'm not joking (*non sto scherzando*). But to get there you need the Go To.
JPS Ok, so let's go to INGland!
LAV Where you going?
JPS Come "Where you going"?! E dov'è il verbo essere?

Improvvisamente i Grammar Dogs sono schizzati fuori come fulmini da dietro ogni cespuglio e ogni albero. Mostravano i denti ringhiando. Terrorizzata, La Vecchia ha cominciato a urlare disperata, voleva scappare ma quei cani rabbiosi l'avevano circondata. In fretta e furia JPS ha schiacciato l'acceleratore a tavoletta in direzione INGland. Dopo un attimo, JPS si è voltato per guardare indietro un'ultima volta. Proprio in quel momento i cani inferociti sono saltati addosso alla Vecchia. In poco tempo, JPS e il suo studente sono arrivati davanti a un grande portone di legno. Sopra c'era scritto "INGland". Una bambina era in piedi, accanto a quel portone.

YG: YOUNG GIRL

JPS Is this INGland?
YG You are a teacher. You should (*dovresti*) know that first you should say "hello" or "good morning".
JPS **** ***** **** so ***!!!

> **NOTA EDITORIALE**
> Anche se le parolacce a volte possono essere utili, non potevamo assolutamente pubblicare le orribili parole pronunciate da John in quel momento.

A quel punto Il Vecchio della Simple Present Land è arrivato da loro, affannato, ormai quasi senza fiato.

ILV Hai visto cos'è successo? Mia moglie... ha fatto un errore, basta un piccolo errore... ma quei cani sono terribili! Adesso ho persino paura di parlare inglese. Bambina, mi fai entrare?

MUST VS HAVE TO, AS VS LIKE

YG Of course! But in INGland you **HAVE TO** (*devi*) speak English. I'm telling you that you have to speak English because I am the boss here. You should know that I'm not simply saying something, I'm telling you. And to tell is not only like when you tell a story, it is an order. It is my order. And when I say "like when you tell a story", like non significa "piacere" in questo caso, perché like vuol dire anche "come". Anche **AS** vuol dire "come", sai qual è la differenza? As significa "nel ruolo di", like "I work as a waiter", the Daska works as your teacher. Anche like significa "come", ma nel senso di "simile a".
JPS Young girl. I am an English teacher e io non ho capito niente. Figurati lo studente! There is a place called "The Shed", dove il nostro studente dovrebbe ogni tanto andare. Anzi, io gli consiglierei di andare ora, perché mi sa che ci metteremo un po' con te qui. Quindi, dear student, vai a vedere le lezioni di AS vs LIKE e MUST vs HAVE TO.

SHED 6 AS VS LIKE
SHED 7 MUST VS HAVE TO

YG Sì, ma nello Shed non ci sono gli esercizi.
JPS Che cosa?! Ce ne sono tantissimi! Vai nello Shed e guarda meglio.
YG Do you want to come in or not?
JPS Yes, we do.
YG Do you all want to enter?
JPS Well, we both want to enter, me and my student.
ILV Me too.
YG So you all want to enter. Ok, but first the student has to translate ten phrases. And remember, there are many Grammar Dogs here, in Simple Present Land. And they are watching and listening to you.
Anyway, here is your test.

Così la Young Girl ha consegnato il test allo studente.

SIMPLE PRESENT
TEST 4

1. Lunedì lui lavora come cameriere e martedì lavora come barman.

....

2. Ti amo come sei.

....

3. Sei bella come il sole (*sun*).

....

4. Birmingham è bella come Roma.

....

5. Sei veloce come una tigre (*tiger*).

....

6. Non dovete venire domani al meeting, è troppo noioso per voi.

....

7. Tua mamma deve aiutarti.

....

8. Devo dirle una cosa importante.

....

9. Devo dire che l'Italia è meravigliosa (*marvelous*).

....

10. Dobbiamo deciderci (*make our decision*) entro domani.

....

YG You're almost ready to enter INGland. There is one more little test you have to do.

JPS Let me (*lasciami*) do this test.

YG Teachers can't (*non possono*) do the tests. Only the student can do the tests. The Grammar Dogs do not let teachers do the test. They only...

JPS Abbiamo capito! One question: why are you... just a young girl, here at the gate (*cancello*) of INGland?

YG Per variare un po', no? Anyway, here is the test.

SIMPLE PRESENT 2
TEST 5

1. What time is it? (*Rispondi guardando l'ora indicata sulla Clock Tower.*)

....

2. Io di solito faccio colazione alle 7.30 a.m.

....

3. Io vado sempre al lavoro in macchina.

....

4. Non viaggio (*travel*) mai in aereo.

....

5. Vai spesso al cinema con lui? – No, mai.

....

6. Andate mai in vacanza (*on holiday*) in treno? – Sì, molto spesso.

....

7. Il mio amico raramente va al lavoro a piedi.

....

8. Loro vanno sempre in spiaggia in estate.

....

9. Io non faccio mai colazione di mattina.

....

10. Vai mai al ristorante? – No, raramente.

....

Alla fine di ogni test di Verbania, controlla le soluzioni alla fine della storia. Se hai un punteggio minimo di 7 risposte esatte su 10, prosegui pure. Se hai ottenuto un risultato inferiore, ripassa la lezione, please. ***È fortemente sconsigliato imbrogliare*** *perché procedendo senza la preparazione giusta, fai solo un torto a te stesso. Per questo ti consiglio di scrivere gli esercizi a matita.*

INGland è una terra divisa in tre zone, proprio perché il tempo Present Continuous svolge tre funzioni diverse.
La prima zona si chiama Present Continuous "Now"; in questa parte di INGland si esprimono le azioni che si stanno svolgendo in questo preciso momento. C'è

un'aria frenetica, tutti sono costantemente impegnati a fare qualcosa e non si fermano mai. They are singing, cooking, cleaning, dancing, playing...
Nella zona Present Continuous "Period" c'è un'aria molto più tranquilla. Sì, c'è qualcuno che legge, qualcuno studia ma si può anche riposare. È la zona delle azioni che si stanno svolgendo in questo periodo, sono protratte nel tempo e ogni azione può durare settimane o addirittura mesi.
Infine nell'area di INGland chiamata Present Continuous "Future" tutti hanno grandi progetti per il futuro. A coloro che vivono in questa zona non interessa il presente, qui si guarda solo al futuro. Ognuno ha un calendario in mano per segnare ciò che in questo momento viene pianificato per il tempo che verrà. Chi abita qui volta sempre le spalle alla gente delle altre due zone, "Now" e "In this period", perché tutta l'attenzione è rivolta alle importanti cose che accadranno nel futuro.

PRESENT CONTINUOUS

ILV Ti ricordi i sassi magici che abbiamo utilizzato nel Simple Present?
JPS Ancora con questi sassi magici, non gli credere.
ILV Dicevamo. Ora, per fare il Present Continuous prenderò dalla mia borsa due sassi magici: uno lo conosci già, è quello del verbo essere. Poi prendo anche un "sasso calamita" che si chiama ING. È un sasso calamita perché si attacca in fondo a tutti i verbi e li fa diventare "-ando" o "-endo". Osserva attentamente:

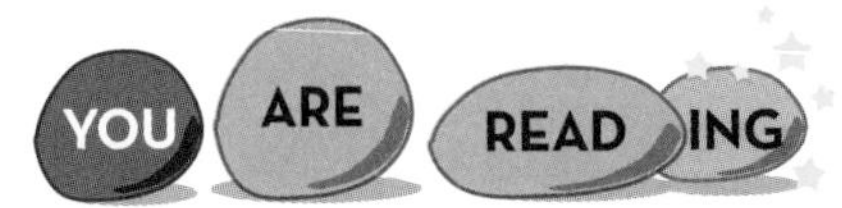

Visto che magia? You are reading, stai leggendo!
JPS Oh mamma, andiamo avanti che è meglio. Anzi, prima di andare avanti è necessario che our student vada nello Shed per una spiegazione più approfondita relativa al Present Continuous.

SHED 8 PRESENT CONTINUOUS

A un certo punto, i nostri tre eroi hanno visto passare un uomo che correva.

UCC: UOMO CHE CORREVA

ILV Where are you going?
UCC I'm going to the tribunal.
ILV Stop! I'm talking to you.
UCC I can't stop. I'm from the first part of INGland.
ILV Keep (*continua*) talking , we are following you.
JPS Why are we running?
ILV We are following that man. Look! Everybody's running in the same direction.
UCC We are all going to the tribunal. There is a woman, there. She made a very big error and The Grammar dogs are very angry. Their eyes are red. Their teeth are long and white. And they are very strong.
ILV Oh no! Does the woman ask many questions?
UCC ALL women ask many questions!
JPS You're right (*hai ragione*)! And they're not interested in the answers (*a loro non interessano le risposte*). They just ask questions.

Dopo essere arrivati in tribunale, i tre hanno visto La Vecchia rinchiusa in una gabbia, circondata dai Grammar Dogs. Quei cani rabbiosi avevano grosse fauci, sbavavano e righiavano senza tregua camminando avanti e indietro intorno alla gabbia. Continuavano a fissarla coi loro occhi rossi e profondi più del mare. Avevano... Vabbe' hai capito, dai. Davanti a lei c'erano quattro giudici: il giudice Simple Present, il giudice Now, il giudice Period e il giudice Future.

GSP: GIUDICE SIMPLE PRESENT
GN: GIUDICE NOW
GP: GIUDICE PERIOD
GF: GIUDICE FUTURE

GSP Do you know why you are here?
LAV Yes, I do.
GSP Do you know that now we must test you?
LAV Ok.
GN What am I doing now?

LAV You are asking me a question and you are writing down my answer.
GN What are The Grammar Dogs doing now?
LAV They are watching me and they are hoping (*sperando*) I make another (*un altro*) grammatical error, so they can attack me again.

A un certo punto è intervenuto il Giudice Period.

GP Are you making a lot of grammatical errors, in this period?
LAV No, I'm just asking a lot of questions.
GP Is your husband making any errors?
LAV Yes, many. But not gramatical... non mi aiuta mai in casa!
GP Silence!

È giunto poi il turno del quarto giudice, il Giudice Future.

GF I do not want to speak.
LAV Why?
GF Because I'm not interested in the present. I only talk about the future.
LAV So, why are you called Present Continuous, too?
GF I have no idea. There are some things in English that are frankly (*sinceramente*) stupid.
LAV So, you are stupid.
GN Well, he is a judge (*giudice*) and you are calling him "stupid". I think the stupid person, here, is you. I ORDER YOU to translate ten phrases regarding Simple Present and Present Continuous. TAKE HER AWAY!

Seguiti da un branco di cani inferociti, hanno condotto La Vecchia in una stanza dove erano già scritte tutte le frasi da tradurre per scontare la pena. Era terrorizzata e tremava, ancora scossa dall'assalto dei Grammar Dogs; temeva di non farcela. In ginocchio piangeva disperata; accanto a lei un pezzo di gesso. Che ne dici, te la senti di aiutarla?

PRESENT CONTINUOUS

TEST 6

1. Loro sanno tutti i miei segreti (*secrets*).

2. Adesso mio fratello sta studiando, mia sorella sta giocando e mia mamma sta cucinando.

3. L'Inter non vince mai, loro stanno perdendo adesso.

4. Giorgio fa karate tutti i venerdì.

5. Loro non mangiano mai fast food.

6. Oggi Frank sta bevendo acqua, di solito beve birra.

7. Jack va in palestra tre volte alla settimana.

8. In questo periodo mia mamma sta studiando inglese, si sta divertendo.

9. Una volta alla settimana Franco va al cinema con Teresa.

10. Kate non usa mai il telefono quando lavora.

Ottimo lavoro! Entusiasta e piena di gratitudine, La Vecchia ti ha baciato sulla guancia e per ringraziarti ti ha dato l'unico OUT OF che aveva.

MUST VS HAVE To

LAV You have to use this to get out of here. You need it more than I do. Non fare quella faccia confusa, tesoro. Quello che ho appena utilizzato è sempre un verbo HAVE, un po' mascherato. Perché MUST e HAVE TO, entrambi indicano "dovere". You must è tu devi. You have to è tu devi. Ma sai cosa fa la differenza? Chi parla. Se io dico "you must", sono io che dico che tu devi, non gli altri, non la legge o le regole – in questo caso – di questa prigione. Mentre se io dico "you have to", sono gli altri che impongono quella cosa, oppure perché non c'è alternativa e fare come ti sto dicendo è l'unico modo possibile. Quindi se io dico "you have to use the out of", non è perché decido io, ma perché non c'è altro modo per uscire da questa prigione. E mi mancherai.

L'OUT OF in realtà era un palloncino; dopo averlo afferrato, hai iniziato a salire verso l'alto. C'era un buco nel soffitto della stanza delle traduzioni e, aggrappato al tuo OUT OF, l'hai attraversato e ti sei ritrovato all'aperto. Out of the Prison, dove ti stavano aspettando quei i due vigliacchi JPS e Il Vecchio.

JPS Stavamo arrivando anche noi, eh?
ILV È vero, è vero! Sai com'è, abbiamo trovato un po' di traffico...
JPS So, now where do we GO TO?

WROOOM!!!

JPS Ah, there are only two seats (*posti a sedere*) in the GO TO.

WROOOM!!!

ILV Problem solved!
JPS Are we ready?

E a quel punto sono arrivato io.

D Well done!
JPS Thank you, thank you very much.
D No, not you! Our student. And now it's time for the Future.

FUTURO INTENZIONALE

Ora, il Present Continuous legato al futuro l'avete visto. Si usa quando c'è qualcosa che succederà in futuro, qualcosa che hai già programmato, sai quando succederà, dove, tutto. Quindi, chi ti ascolta sa che è una cosa importante perché è già stata programmata e pianificata. Per esempio, se io ho deciso che finisco di lavorare alle 9, che per me è una cosa importante, dico: "I'm finishing work at nine o'clock". Se io ho un incontro con la signora Daska alle 10, dico: "I'm seeing my wife at ten o'clock". Se io domani mattina devo svegliarmi presto, quindi per me è importante andare a letto alle 11, dico: "I'm going to bed at eleven o'clock". Hai sentito che ho detto "going to"? Questo è interessante. Non saprò mai spiegarti perché gli inglesi usino "going to" non solo per dire "andando a", ma anche per esprimere un'azione intenzionale. Si tratta di qualcosa che succederà in futuro, ma non sai ancora quando. Ma visto che qui abbiamo un inglese con noi, che si lamenta che non riesce mai a insegnare niente, chiediamo a lui perché gli inglesi usano "going to" per indicare un'azione intenzionale, che non c'entra niente.
JPS Eh, boh. Non lo so.
D ... and this is why we don't ask JPS to teach.
JPS Excuse me?
D Comunque, se dico: "I'm going to London", vuol dire: "Sto andando a Londra" adesso; questo è il Present Continuous Now. Invece, se dico: "I'm going to London often", vuol dire che in questo periodo ci sto andando spesso. Ma se dico: "I'm going to London tomorrow", questo è Present Continuous legato al futuro. Nota che dopo "going to" è indicato un luogo; automaticamente si capisce che stai dicendo "andando a".

Ma se "going to" è seguito da un verbo, tipo "I'm going to take my wife to the cinema", questo è il futuro intenzionale. In questo caso sto dicendo che ho intenzione di portare mia moglie al cinema, ma adesso non so ancora quando la porterò. O perché non ho tempo, o magari perché non so ancora quando ci sarà il film che vuole vedere. Comunque, una cosa che hanno in comune Present Continuous legato al futuro e il futuro intenzionale, cioè il "going to", è che quando lo dico entrambe le azioni sono state decise prima. Nello Shed c'è pronta per te una spiegazione specifica relativa a questo argomento. Ti aspetto mentre vai a leggerla, poi continuo.

SHED 9 TO BE GOING TO

D E ora guardiamo il futuro più importante e più utilizzato: WILL. E per tenere una lezione su will (lo so che abbiamo scherzato tanto), chiediamo al tuo vero insegnante.

ILV Thank you.

JPS I'm going to the bar...

FUTURE SIMPLE

ILV Per capire bene WILL, che è la sostanza del Future Simple, dobbiamo vedere com'è innanzitutto per la prima persona, poi per le altre. Se io dico "I will", oppure "I'll" nella forma contratta, vuol dire che ho deciso in questo momento di fare una certa cosa e che la farò volentieri. Per esempio, se io dico: "I'll come with you", è perché tu mi hai appena detto che vai in un determinato posto; anche a me interessa andarci, quindi decido adesso di venire con te. Magari poi tu mi dici: "Ah, ok. Se vieni anche tu, I'll take the car". Vedi cos'è successo qui? Will è il futuro più utilizzato per questo motivo. Mi spiego meglio: quando qualcuno ti parla ti dice qualcosa di nuovo, qualcosa cioè che non sapevi prima. Sarebbe noioso se ti dicessero solo cose di cui eri già a conoscenza. Riprendendo il nostro esempio, io non sapevo che tu saresti andato in quel posto; adesso che lo so decido di venire con te. Tu non sapevi che io sarei venuto con te, ora che lo sai decidi di prendere la macchina. Quindi decidiamo in continuazione cosa faremo nel futuro. L'unica differenza si ha nel caso in cui sto facendo una promessa; qui non è importante se l'avevo già pensata nel passato o se la formulo adesso. Per le promesse usiamo WILL per esteso. Per esempio, conosci la canzone di Gloria Gaynor *I will survive*? Per quanto abbia il cuore spezzato e si senta morire, lei dice che sopravviverà: I will survive, ti prometto che sopravviverò.

JPS I'll remember that and I'll tell my students. Comunque, adesso guardiamo WILL per gli altri.

ILV Good idea! Quando usi will per gli altri fai una prediction (*previsione*). Perché quando dico: "I will come with you", sto parlando di me stesso, io farò quella cosa quindi posso esserne sicuro. Ma non posso esserne così certo anche per quello che faranno gli altri. Certo, posso avere le mie convinzioni; ti dico, secondo me, cosa farà lui, cosa farà lei o cosa faranno loro. Ma non posso saperlo con certezza matematica. Per esempio: "She will be drunk when you get to her house".
In questo caso io la conosco, so che ha tanti problemi e ha dieci birre in frigo. Io sono convinto che si ubriacherà... poi magari non lo farà, ma nel frattempo io sono convinto che sarà così. Comunque, è uguale anche in italiano. Infatti anche in italiano se dico: "Lei si ubriacherà", ne sono convinto, poi non so quello che succederà. C'è una spiegazione interessante e tanti esercizi relativi al Future Simple nello Shed. È il momento di andarci. Quando sarai di ritorno, ci muoveremo.

SHED 10 FUTURE SIMPLE

D Ok, now it's time to go into the tunnel. But before you do, I'd like (*vorrei*) to give you this envelope (*busta*). It is for the student.

JPS If it is for the student, why are you giving it to me?

D Because our student has this book in his hands.

JPS **Touché!**

Non appena quella parola fu pronunciata, tutti hanno iniziato a sentire un gran tumulto. Ansare affannoso di cani in corsa, strepiti, versi, rumori di passi veloci e minacciosi. I Grammar Dogs erano stati sguinzagliati e si stava scatenando un vero inferno.

JPS What's happening, what's happening?!
V Hai utilizzato una parola francese, idiota! In INGland!!!
JPS **Oh, mon Dieu!**

Tuoni, fulmini e saette!

V Get out of the Go Tos! Senti, parlo italiano per fare veloce. I Go Tos non servono, non entrano nel tunnel.
JPS So, how do we get INTO the tunnel?

WRIIIM!!!

Immediatamente i nostri tre eroi sono saltati nell'**INTO** e il veicolo ha iniziato a muoversi. C'era solo un problema: un Into non è veloce come un Go To e i cani inferociti li avrebbero raggiunti molto rapidamente.

ILV Don't worry, they only want JPS!

Così sono entrati in quel tunnel, buio e incerto proprio come incerto è il futuro. Ma una volta dentro, l'Into si è fermato. Nel tunnel c'era un buio assoluto, nessuna luce, nessuna possibilità di vedere. Soltanto gli Out Ofs brillavano, ma la loro luce era molto debole. Ogni Out Of schiariva appena appena solo un metro intorno a sé. Si poteva vagamente scorgere molto, molto in lontananza un fascio di luce provenire dall'alto. Tutti e tre sono scesi dal veicolo e hanno iniziato a camminare, tenendosi per mano. Mentre camminavano, Il Vecchio si è fermato di colpo.

GET, TAKE, BRING

ILV We have to take our Out Ofs.

JPS Yes, please take them and bring them here.

ILV Maybe *(forse)* it's time we explain "get, take, bring".

JPS Yes, of course. But first, take the balloons and bring them here.

ILV TAKE vuol dire sia "prendere" sia "portare". Prendiamo in considerazione prima "prendere". Per dire "prendere" ci sono due verbi: GET e TAKE. TAKE si usa quando l'oggetto o la persona in questione (cioè quello che devi prendere) è fisicamente presente nel posto in cui ti trovi. Mentre GET vuol dire "prendere" quando l'oggetto o la persona non è presente lì. Ma nota che GET comporta sempre un cambio di stato, o meglio, in questo caso, un cambio di luogo. Perché se l'oggetto o la persona è da un'altra parte, non dove sei tu, per prenderlo devi spostarti e andare da un'altra parte, from here to there.

JPS I'll take the Out Of while you explain. Ho utilizzato WILL perché ho preso la decisione in questo momento; se aspettiamo te, moriremo tutti qui dentro. So I'll take the Out Of and bring them here.

ILV Ora esaminiamo "portare". JPS ha detto "I'll bring them". Ora, per capire bene la differenza tra BRING e TAKE nel senso di "portare", devi tenere bene in mente chi parla e chi ascolta. Se io sto parlando con te, caro studente, e utilizzo BRING, implicitamente vuol dire che porto qualcosa a te, o almeno nel posto in cui ti trovi tu. Se invece utilizzo TAKE, vuol dire che intendo portare qualcosa a qualcun altro. Guarda questa frase: "Tonight I'll bring you a book". Ho deciso ora che stasera ti porterò un libro. But the book is not for you. I want you to take it to your brother. "Take it to him", your brother will bring the book back to me tomorrow.

Dopo aver invitato lo studente a leggere bene la spiegazione relativa a get, take e bring nello Shed, JPS è tornato con i tre Out Ofs in mano.

SHED 11 GET, TAKE, BRING

JPS Take your Out Of and take it with you. Quindi prendi il tuo Out Of e portalo con te. Non darlo a me, perché ne ho già due in mano, il mio e quello dello studente. Lui ha già le mani occupate da questo libro. Con due Out Ofs vedo benissimo! Posso vedere tutte le tue rughe...

Il Vecchio ha guardato JPS molto seriamente.

ILV Vuoi fare il comico tu, eh?
JPS In realtà io non ho mai pensato di fare il comico. Mi piace sempre ironizzare, quindi mi mettono in TV ma sono gli altri che mi hanno definito comico, a me piace solo scherzare. Ma se fai tutte quelle facce serie mi passa la voglia. C'è qualcosa che non va?
ILV Yes. My wife. I must get her.
JPS There are a lot of angry dogs out there.
ILV Yes, but they are angry with you.
JPS You're right. You should get your wife. You are doing a very noble thing, but please don't bring her here. And remember three very important words: DON'T SPEAK FRENCH. Adieu, mon ami!

Il Vecchio ha salutato JPS e lo studente, si è voltato e ha iniziato a camminare verso l'entrata del tunnel. Ma una volta giunto vicino all'entrata ha preso un colpo ed è caduto per terra. Era come se un fantasma gli avesse dato un pugno. Dopo essersi rialzato, ha incominciato a tastare l'entrata del tunnel: sembrava uno di quei mimi che toccano muri invisibili. Ha realizzato così che non si poteva più tornare indietro. Da quel punto in poi rimaneva solo il futuro.

ILV Bad news: I can't go back.
JPS Oh yes... that's very bad news...

Quindi i nostri tre eroi hanno deciso di avanzare verso quel fascio di luce che si intravedeva in lontananza. Avvicinandosi hanno iniziato a scorgere qualcosa al di là della luce che proveniva dall'alto. Più erano vicini a quella colonna di luce, più riuscivano a mettere a fuoco quella figura misteriosa, ma la sua immagine era ancora confusa. Si poteva solo intravedere un'enorme sagoma. Arrivati a ridosso della luce, sono riusciti finalmente a vedere bene la creatura. Aveva una testa gigantesca. Una faccia orribile e larga. I nostri tre eroi erano pietrificati, immobili e senza parole. JPS, abbassando lo sguardo a terra, ha notato che la brutta e orribile creatura era seduta su di un mucchio di ossa, crani e scheletri. Poi ha visto per terra occhiali rotti, matite spezzate, libri, alcuni aperti, altri no. Il Vecchio ha tentato di parlare; dalla sua bocca è uscito solo un sussurro tremolante.

ILV Ma... ma chi erano?
JPS Erano studenti.
ILV E perché il loro viaggio è finito qui?

In quell'istante la creatura si è mossa e ha iniziato molto lentamente ad aprire la sua orripilante bocca. Aveva denti lunghissimi e aguzzi; il suo fiato era putrido. Al sentire quel terribile odore, un senso di nausea ha pervaso JPS, Il Vecchio e lo studente. I suoi occhi infuocati erano fissi su di loro. Ha iniziato a ringhiare.

JPS Get into the light!

Uno per uno, i nostri tre eroi hanno iniziato a risalire lungo il fascio di luce, ciascuno condotto dal proprio Out Of. Mentre uscivano, Il Vecchio ha gettato un'ultima occhiata alla creatura e ha notato che sotto il mento c'era un grosso medaglione con scritto il suo nome: FEAR.
Non appena fuori, JPS ha sentito una voce di bambina uscire dal buco. Preoccupato ha subito di nuovo guardato dentro e ha visto che si trattava di YG, la stessa bambina che li aspettava accanto al portone d'ingresso di INGland. YG teneva per mano uno studente che tremava terrorizzato. La bambina ha teneramente guardato il mostro e ha detto: "It's time for dinner, Fuffy". In men che non si dica il mostro si è scagliato contro lo studente e l'ha sbranato con foga. Poi la bambina si è girata per andarsene. JPS ha notato che per terra, vicino al mostro che stava ancora masticando, c'erano un nuovo paio di occhiali rotti e un libro di grammatica inglese; un altro studente divorato dal mostro della paura. Mentre JPS si allontanava dal buco, un Out Of è uscito dal tunnel continuando a volare verso l'alto. Non c'era attaccato nessuno. A quel punto li ho raggiunti.

D Gentlemen, what I'm saying now is in the past.
JPS Bello questo!
D Before you go to the past...
JPS How come (*come mai*) nothing comes when you say "go to"?

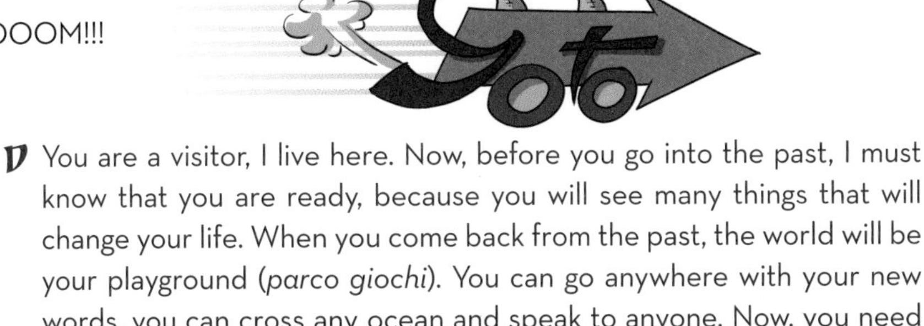

D You are a visitor, I live here. Now, before you go into the past, I must know that you are ready, because you will see many things that will change your life. When you come back from the past, the world will be your playground (*parco giochi*). You can go anywhere with your new words, you can cross any ocean and speak to anyone. Now, you need to find the giant (*gigante*) clock. The clock will take you into the past. To get to the clock, you must walk through (*attraverso*) the yellow field of corn (*campo di mais*). When you get to the river (*fiume*) turn (*gira*) left. Then, when you get to the third tree, turn right. After two hundred meters, you will see the traffic light (*semaforo*). When it's green, go straight on until you get to the roundabout (*rotonda, rotatoria*). At the roundabout, take the third exit, then go straight on until you get to the mountain (*montagna*). Then look at the map which is in the envelope that is in John's hands.
JPS No, it's in my pocket (*tasca*), now. Ok, let's go!

E così hanno cominciato il loro viaggio alla ricerca dell'orologio gigante.

REMEMBER VS REMIND

JPS This reminds me of the Wizard of Oz.
ILV Già una lezione? Bravo!
JPS Giusto! La differenza tra REMEMBER e REMIND. There is only one problem: I don't remember it. Please, Mr Il Vecchio, remind me,
ILV Very good!
JPS Vedi? Sia remember che remind in italiano si traducono con ricordare.

Ma in inglese sono diversi. Perché to remind significa ricordare a qualcuno di fare qualcosa; significa anche far venire in mente. For example: we have a meeting at 8 o'clock tonight and I don't want to eat alone. So I remind you of our engagement (*impegno*). Do you know how I remind you? I say: "Remember that we are eating something together tonight at 8 o'clock". I use the Present Continuous Future because our dinner is planned, which means we know the exact time of the engagement in the future. We also use remind for "far venire in mente". In this case it's usually remind of. For example, Vecchio, you remind me of my grandfather.

ILV Really? And how is your grandfather?

JPS I don't know, I never speak to him. Non lo sopporta nessuno.

ILV I'll remember this new insult when you will have need of me.

JPS I think I should remind you, Mr Vecchio, that with or without you, I will survive.

ILV I'm going to remember all of your words when we get to the end of Verbania. I don't know when we will arrive at the end of Verbania, and that is why I use "going to", cioè intenzionale.

JPS Let's go.

Dopo dieci minuti i nostri eroi si erano già persi e si ritrovarono in mezzo a una foresta.

TO BE GOING TO

JPS What are we going to do?

ILV I agree. It is time for the student to learn the third meaning (*significato*) of going to. Going to also means "sta per succedere", sto per, sta per, stanno per. For example, I'm going to spit (*sputare*). Ptuh!

JPS This example is very elegant!

ILV Se una ragazza sta per piangere, in inglese si dice: "She's going to cry". Why do the English use "going to" for so many different things? JPS, you are English: explain, please.

JPS Senti, mi becchi sempre sull'intenzionale, ma lo fate apposta?! Io non ce la faccio più, non merito questo trattamento, hai capito?

ILV Are you going to cry, JPS?
JPS I don't cry, I'm British.

In quel momento hanno sentito un rumore provenire dalle fronde degli alberi, come se il vento le stesse scuotendo. Hanno alzato lo sguardo e visto qualcosa che si muoveva nella vegetazione. Improvvisamente qualcuno ha cacciato un urlo, sembrava un comando; questo grido ha raggelato il sangue nelle vene dei nostri eroi. Prima ancora di riuscire a scappare, grossi uomini rasati sono saltati giù dagli alberi, accerchiandoli e puntando loro una balestra.

Il comandante si è fatto avanti.

IC: IL COMANDANTE

IC Where are you going?
JPS Nowhere, apparently.
IC Where do you want to go?
JPS We are trying to find the giant clock.
IC Ah! So you want to go into the Time Machine.
JPS Into what?

WRIIIM!!!

In quel momento è arrivato un Into che è stato trafitto da almeno quaranta frecce in meno di due secondi. JPS ha sussurrato qualcosa.

JPS Ragazzi, mi è venuta un'idea. Qui in Verbania tu dici una parola e quella cosa arriva, giusto? Quindi io ci provo...

JPS ha fatto un lungo respiro e, con tutta la voce che aveva in corpo, ha urlato...

JPS ROBIN HOOD!!!

Tutti i soldati hanno riso.

ILV You're pathetic.
IC Before the Time Machine, your student must pass the future test.
JPS Not a problem! My student will do any test you put in front of him. Vero?!

FUTURE
TEST 7

1. Piero sposerà Pinuccia?

2. No, perché Pinuccia si innamorerà di uno sconosciuto (*stranger*).

3. Lei ha intenzione di scegliere (*to choose*) un uomo ricco.

4. Lui non ha intenzione di aspettare (*to wait*).

5. Lui ha intenzione di innamorarsi di nuovo?

6. Lui si fiderà (*to trust*) ancora di lei? Non penso.

7. Loro non usciranno più a cena insieme (*together*).

8. Lui ha intenzione di rilassarsi con una bella vacanza.

9. Lei starà (*to stay*) a casa con lo sconosciuto ricco?

....

10. Lei non ha intenzione di parlargli, ma pensa che lui la chiamerà.

....

Mentre i nostri eroi uscivano dalla foresta, i soldati li hanno salutati calorosamente continuando a sorridere in modo amichevole.

IC Salutaci Robin!

In quel momento hanno sentito il suono di una campana.

ILV We must follow the sound of the bells (*campane*).

Dopo un'altra oretta sono finalmente giunti nei pressi dell'orologio gigante. Dietro l'orologio c'era una casetta di legno; al suo interno hanno trovato una marea di pulsanti colorati, un grosso schermo digitale, uno più piccolo, pieno di numeri, e una gran quantità di leve.

JPS This is a Time Machine.
ILV I'm not going into this Time Machine.
JPS Why not?
ILV Because it's completely unoriginal. I mean, until now Verbania, The Grammar Dogs, the Monster of Fear, all wonderful original inventions. While this Time Machine is not original. Se avevi esaurito la fantasia o non avevi più voglia di scrivere potevi dirmelo, ti aiutavo io. L'idea di utilizzare una macchina del tempo per andare nel passato è vergognosamente banale e io non intendo...

Improvvisamente il cielo sopra le loro teste ha iniziato a cambiare aspetto. Le candide nuvole hanno rapidamente cambiato colore, trasformandosi in cupi nuvoloni minacciosi. Il nero si spandeva veloce, come gocce d'inchiostro in un bicchiere d'acqua. Di nuovo, i nostri eroi erano pietrificati dalla paura. In un batter d'occhio si sono infilati tutti dentro la Time Machine.

JLV Ok, let's go back 90 minutes so I can get my wife.
JPS No, no. Faccio io!

John ha premuto il bottone rosso e lo schermo più grande si è acceso. Su di esso è apparsa una scritta: "Before you go into the Past, you must see the lesson which is in the Shed".

SHED 12 PAST SIMPLE

UTM: UNORIGINAL TIME MACHINE

Lo schermo ha iniziato la sua lezione riassuntiva sul Past Simple.

UTM Utilizzo 1 – Si usa il Past Simple per esprimere un'azione che è iniziata e si è conclusa nel passato. Non sempre è importante dire esattamente quando è successa, sei tu a stabilire quanto sia importante collocarla in un momento preciso del passato. Per esempio:
I saw a film yesterday. (*Ho visto un film ieri.*)
È un'azione conclusa e te la voglio solo raccontare. Come vedi, to see è un verbo irregolare perché il passato è SAW, non è seed. I verbi regolari al passato finiscono con -ED, tipo WASH - WASHED. I wash, I washed. (Io lavo, io lavavo.) I Love, I loved. (Io amo, io amavo.)

Utilizzo 2 – Si usa il Past Simple anche per esprimere una serie di azioni, purché tutte si siano concluse nel passato. Consideriamo quattro azioni per fare un esempio.
I finished work, walked to the park, drank a beer then went home. (*Ho finito di lavorare, sono andato a piedi al parco, ho bevuto una birra e poi sono andato a casa.*)
Hai visto che ho utilizzato il pronome "I" una sola volta? Un bell'inglese è un inglese conciso. Ora guardiamo una catena, o serie di eventi, aggiungendo l'ora in cui si sono svolte quelle azioni. Ovviamente non è tassativa la presenza di quattro azioni, dipende da quante cose fai. La "catena" può essere costituita da un numero qualsiasi di azioni che scegli tu.
I arrived at 8, ate breakfast at 9 then started to work at 10. (*Sono arrivato alle 8, ho fatto colazione alle 9 poi ho iniziato a lavorare alle 10.*)
La parola THEN significa "poi" e va messa prima dell'ultima azione elencata nella catena.
Utilizzo 3 – Il Past Simple esprime anche un'azione del passato che ha avuto una durata protratta nel tempo. In altre parole, dice quanto è durata una certa azione nel passato. Esempio: I lived in London for 5 years. (*Ho abitato a Londra per 5 anni.*) Oppure, we talked on the phone for ten minutes. (*Abbiamo parlato al telefono per dieci minuti.*)

Ho appena finito di preparare il secondo sacco di verbi che dovranno portarsi dietro. Sono due sacchi belli pesanti: uno contiene i verbi irregolari, mentre l'altro quelli regolari.

ILV Metti sullo schermo la regola per i verbi irregolari.
JPS Ok.
UTM Come ben sapete, non ci sono regole riguardo ai verbi irregolari, vanno solo imparati a memoria.
JPS Ok, where shall we go?
D Wait!

JPS What's in those enormous sacks (*sacchi*)?

D They are the verbs you will need for your journey.

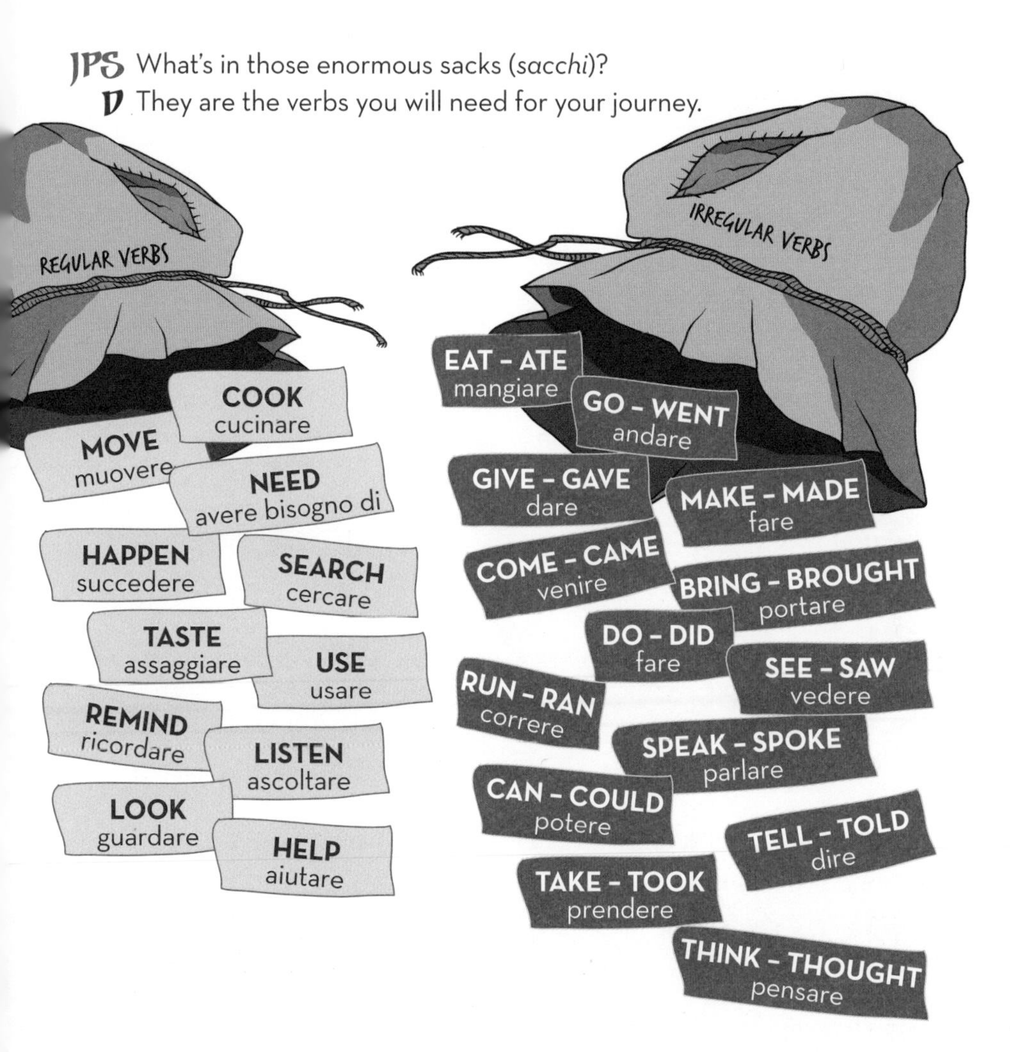

UTM BEEP BEEP BEEP!

L'ultima parte di questo libro qui diventa MOLTO importante, perché nelle ultimissime pagine c'è un elenco di tutti i verbi irregolari più frequenti. Quindi, caro studente, quando vedi un verbo al passato e non lo capisci, vai pure a cercarlo in quella lista.

JPS Ok, where shall we go?

UTM BEEP BEEP BEEP!
JPS Come si fa a spegnere questa cosa?!
UTM Will e shall si riferiscono entrambi al tempo futuro. Ma shall indica una necessità o un dovere, mentre will è più una cosa che fai spinto dalla tua volontà. Per esempio: You shall take her to school. (*La porterai a scuola.*) Quando vuoi proporre una cosa per il futuro, e questa è la forma più importante e più usata in inglese, si usa shall. Shall we go? (*Andiamo?*)

WILL VS SHALL

JPS Yes, so, where shall we go?
D The Unoriginal Time Machine doesn't move. You can only travel through (*attraverso*) time, not from place to place.
JPS I want to go to a very historic day.
D Ok.
JPS Friday the 27th of March 1896 IN Birmingham AT St. Andrews
ILV Ah... Dickens, Oscar Wilde...
JPS No! The last time Birmingham City won against (*vinse contro*) Aston Villa!
D Stop! You can only go to three moments in time. Make them important.
JPS You're right. C'è anche la partita contro il West Ham.
ILV Please, let me put in the date. DAY Friday the 18th of April 1614 at 3 o'clock in the afternoon IN London AT Buckingham Palace.

Mentre uscivo dalla Unoriginal Time Machine, il Vecchio ha premuto il tasto GO.

JPS Nothing is happening. The Unoriginal Time Machine doesn't work. I knew it (*lo sapevo*)!

In quel momento qualcuno ha bussato alla porta della UTM.

Q: QUALCUNO

Q Who is in there? Open the door immediately!
JPS I'm in the toilet. Give me a minute.
ILV Don't be stupid, open the door.

Dopo aver aperto la porta, si sono trovati davanti due guardie con le spade già sguainate, con indosso grosse armature. Nei loro elmi di metallo era possibile vedere riflessa la propria immagine; JPS allora si è sistemato un po' i capelli, irritando tantissimo una delle due guardie. I nostri tre eroi sono stati immediatamente condotti al cospetto della regina Elisabetta I; davanti al suo trono si sono rispettosamente inginocchiati.

QE: QUEEN ELIZABETH I
SWR: SIR WALTER RALEIGH
WS: WILLIAM SHAKESPEARE

JPS Are you the Virgin Queen?
QE Don't be stupid, it's 1614. Where are you from?
JPS We're from the 21st century.
QE But you're dressed so badly (*male*).
ILV Only he dresses so badly, Miss Virgin.
QE STOP CALLING ME VIRGIN! It isn't because I don't have the opportunity, I'm just very busy. Anyway, what do you want?
JPS I want you to kill (*uccidere*) Shakespeare.
QE But Shakespeare is my friend, and he writes so beautifully...
JPS No, he doesn't! For five hundred years English schoolboys, all of us, tortured with Shakespeare. With his long, boring plays (*opere teatrali*).

Mentre JPS stava finendo di parlare, le guardie hanno aperto le grandi porte della sala in cui si trovavano ed è entrato Sir Walter Raleigh che in Inghilterra era considerato un vero eroe. Era un grande marinaio, che aveva scoperto molti nuovi Paesi e che era solito portare un regalo alla regina al ritorno da ogni suo viaggio.

SWR Your Majesty, this morning I came back from America. We sailed (*abbiamo navigato*) for months to get there. When we arrived it was very hot but immediately we searched for (*abbiamo cercato*) something new for my beautiful Queen. Every night I dreamed of you.

JPS Ma quanto è piacione questo? Siamo sicuri che non è italiano?
QE Did you bring me a gift?
SWR Two!

Con estrema gentilezza, Sir Walter Raleigh ha appoggiato sul tavolo davanti alla regina alcune patate e del tabacco.

QE What do I do with these?
SWR You can eat them.
QE Ugh! It tastes (*ha un sapore*) horrible.
SWR No, that's the tobacco!
QE Ugh! This tastes horrible, too! It's too hard.
SWR No, your Majesty. If you want to eat them, you have to cook them.
QE I don't cook. I'm the Queen! Crunch! I don't like them. Go back to America, find something new and bring it back to me, Sir Walter Raleigh. Take all the people you need.
SWR But I just got back this morning. It takes (*ci vogliono*) six months to get there.
QE If it takes six months, then you should go now. You will be back for Christmas, so bring me something special or I will cut off your head (*decapiterò*)!

Congedato da sua maestà con queste parole piene di gratitudine, Sir Walter Raleigh ha lasciato la sala ed è subito entrato William Shakespeare.

WS Good afternoon, your Majesty. I returned from Verona an hour ago.
JPS Ah! I just did my show in Verona, in Teatro Nuovo.
ILV Infatti non c'era nessuno.
WS Who are you?
JPS I am just a simple man. I suffered (*ho sofferto*) a lot as a child. And you didn't help, with all your boring poems and plays.
QE Where is my gift, William?
WS My gift, your Majesty, is this poem. I wrote it under a tree in Stratford.

QE Read it.
WS I looked at the sun and it reminded me of your golden hair.
I looked at the hills (*colline*) and they reminded me of your...
JPS Tette!
WS ... green eyes. I looked at the black crow (*corvo*) and it reminded me of your...
JPS Denti?
WS ... shoes. I looked at a red rose and it reminded me of your beautiful lips.
JPS Zzzzzzzzzzzz...
WS Many things are beautiful, but not as beautiful as you.

Mentre JPS dormiva, la regina piangeva di gioia.

QE That was so beautiful! I want to give you a gift. Anything you desire.
WS The man who is sleeping, who doesn't know how to dress. I want to torture him.
QE GUARDS!!!

Così sono arrivate le guardie e la regina ha ordinato di di portare subito JPS nella camera delle torture.

QE Take him away!
WS I'll come, too.

Nella camera delle torture hanno legato lo sventurato JPS mani e piedi. Per avere più libertà di movimento, Shakespeare si è arrotolato le maniche della camicia e ha estratto la lunga piuma d'oca con cui era solito scrivere.

NOTA EDITORIALE

Il corpo disegnato non riflette in alcun modo il vero corpo di JPS. Siamo anche venuti a conoscenza di un cospicuo aumento di compenso a favore della nostra illustratrice e ci stiamo muovendo di conseguenza.

Proprio quando Shakespeare stava per iniziare a torturarlo, è entrata un'altra guardia che ha ordinato di rimandare l'inizio della tortura, poiché la regina intendeva schiacciare un pisolino. Al suo risveglio avrebbe deciso se farlo torturare oppure no. Il vecchio, che era seduto vicino a JPS con una scatola di popcorn e una bibita in mano, si è alzato.

IL VERBO MODALE CAN

ILV Allora, se abbiamo un po' di tempo, ne approfitto per tenere una lezione. Esaminiamo un mega verbo modale: CAN, che significa "potere". Avere il permesso, riuscire, sapere. Sono tre significati diversi e ce n'è uno in più, a dire il vero. Ma te lo spiegherò più tardi. Dunque, se io dico I can live in my house, vuol dire che posso vivere in casa mia proprio perché è mia! Quindi posso stare lì. I can use my car, perché è la mia macchina. You can't live in my house or use my car, non hai il permesso di farlo (perché non sono cose tue). Il secondo utilizzo di can è "riuscire". Non utilizzare il verbo to be able to nei tempi presenti e passati; usalo in sostituzione di can solo nei tempi futuri. Ora ti mostro come funziona can nel significato di "riuscire". I can run for 10 km without stopping. (*Posso correre 10 km senza fermarmi.*) JPS can't run for 500 metres without stopping. (*JPS non riesce a correre 500 metri senza fermarsi.*)
Poi c'è "sapere", che indica una capacità permanente, qualcosa che so fare. Per esempio, I can swim (*so nuotare*) o I can drive (*so guidare*).
Il quarto significato del verbo can è un po' strano, perché viene associato ai cinque sensi. Se un italiano è sul balcone a Milano e, guardando davanti a sé, dice: "Io vedo il Duomo", un suo amico inglese direbbe: "I

can see the Duomo, too". La traduzione sarebbe: "Anche io riesco a vedere il Duomo". Quando mia moglie mi dice: "Why don't you listen to me?", io rispondo: "Don't worry, I can hear you". (*Non preoccuparti, ti sento.*) La differenza tra i verbi hear e listen è la stessa che in italiano c'è tra i verbi sentire e ascoltare. Sentire è un'azione che accade involontariamente: se c'è un rumore lo senti. Equivale all'inglese to hear. Mentre "ascoltare" (*to listen*) vuol dire concentrare l'udito su qualcosa in particolare, come per esempio ascoltare la musica o, al negativo, non ascoltare la moglie. Quando un bambino cresce e si trova in una stanza piccola, magari potrebbe dire: "I can touch the ceiling". (*Riesco a toccare il soffitto.*) Sento il profumo di caffè e dico: "I can smell coffee"; è proprio importante mettere can, perché se dicessi solo: "I smell coffee", userei il Simple Present. Come ben sai, vorrebbe dire che io sento il caffè sempre, magari perché vivo vicino a un bar. Quando mia moglie ha comprato la centrifuga, ha fatto un succo con tanti frutti diversi; quando l'ho assaggiato ho esclamato: "I can taste pineapple" e lei mi ha risposto: "Of course! I put pineapple in too". Quella volta che Concy ha preparato una centrifuga per il suo JPS, he said that he could taste cyanide. He was joking.

To joke vuol dire "scherzare". Se intendo dire "sto scherzando" nel tempo presente, devo utilizzare il Present Continuous: I am joking. Per volgerlo al passato è sufficiente mettere al passato il verbo essere, to be. Tutto il resto rimane uguale. Quindi I was joking. Ora, l'utilizzo più importante di Past Continuous viene chiamata azione interrotta; nella struttura dell'intera frase ci sono sia il Past Continuous sia il Past Simple. Se ci pensi è la stessa struttura che si usa in italiano. Per esempio, in italiano dici: "Stavo guardando la TV quando hai chiamato"; in inglese diresti: "I was watching TV when you called". La costruzione della frase è la stessa. Hai notato che ho utilizzato when per legare le due metà della frase? Bene, when introduce il Past Simple. Ma potresti anche scegliere un'altra parola: while, significa "mentre" e precede la frase col Past Continuous. Un altro esempio: mentre JPS dormiva, qualcuno ha rubato il suo portafoglio (eheheh). While JPS was sleeping, someone stole his wallet. Se c'è while non c'è when e viceversa.

ILV Ora paragoniamo una frase del presente con la stessa frase riferita al passato. I'm eating a hot dog. I was eating a hot dog.
Nello Shed c'è un interessante approfondimento riguardo al Past Continuous e un altro riguardo al verbo can. Dopo averli letti sarai pronto per il test successivo, nel tentativo di convincere la capricciosa Queen Elizabeth I a liberare JPS.

SHED 13 PAST CONTINUOUS
SHED 14 CAN, COULD, WILL BE ABLE TO

CAN, PAST SIMPLE AND PAST CONTINUOUS
TEST 8

1. Posso uscire con i miei amici pazzi questa sera?

....

2. Lei non può mangiare la pasta perché è a dieta (*on a diet*).

....

3. Possiamo dormire senza il gatto, per favore?

....

4. Potrò chiamarti quando sono libero.

....

5. Lui riusciva a parlare con la (*sua*) bocca piena.

....

6. Lei non riusciva a dormire perché c'era troppo rumore.

....

7. Lei potrebbe cambiare il colore dei suoi capelli.

....

8. Lui potrebbe fare le cose meglio.

....

9. Potresti vedere il Colosseo se vai Roma.

10. Potrei entrare, per favore?

11. Franco è andato a casa, ha fatto una doccia e poi ha guardato la TV.

12. Mentre Gina stava bevendo, suo marito le ha detto che era felice.

13. Gino stava pulendo la casa mentre Pina stava giocando al computer.

14. La settimana scorsa Gino era troppo stanco per andare a lavorare.

15. Erano felici quando stavano leggendo.

16. Mi stavi ascoltando? – No.

17. Ho finito il mio lavoro e poi sono andato in spiaggia per una bella nuotata.

18. L'anno scorso ho viaggiato molto. Era fantastico.

19. Ho visto il tuo amico alla festa la settimana scorsa, era molto ubriaco.

20. Ti ho chiamato ieri. Perché non mi hai risposto?

Elisabetta I era famosa perché cambiava frequentemente idea. Ti ringrazio caro studente per lo sforzo che hai compiuto nel fare questo test, ma purtroppo la regina ha deciso che JPS sarà torturato. La ragione non è perché JPS ha insultato l'amato amico William Shakespeare, ma perché si veste male. Shakespeare ha dato inizio alla tortura.

NOTA EDITORIALE

Abbiamo verificato che effettivamente l'illustratrice era corrotta; l'abbiamo licenziata e al suo posto ora abbiamo un nuovo illustratore che è molto più fedele alla realtà.

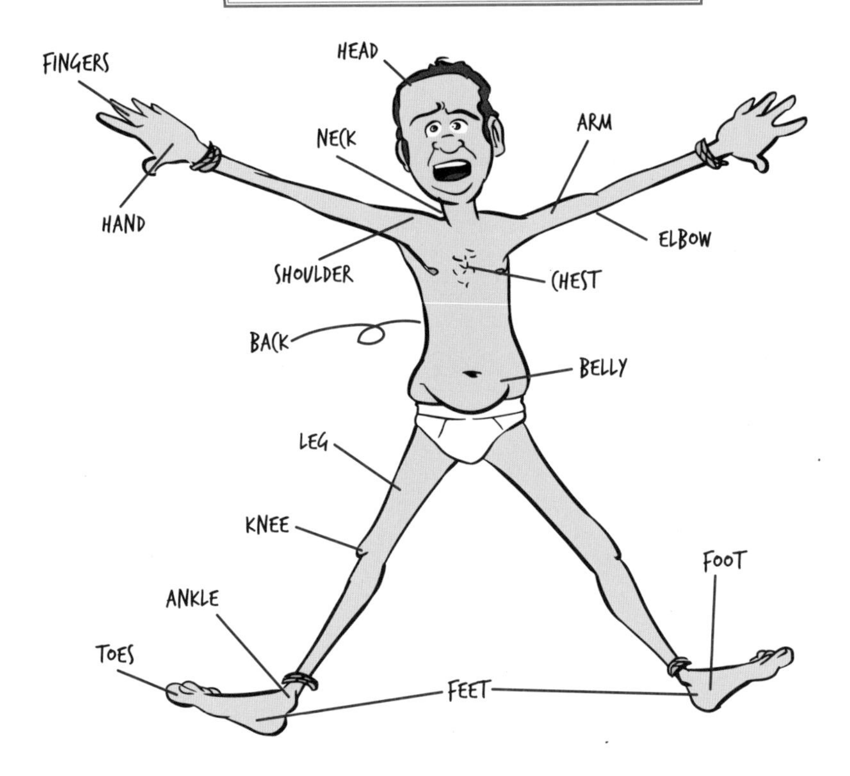

WS Declare (*dichiara*) that "to be or not to be" makes sense (*ha senso*).
JPS Only if you confess that you were drunk when you wrote it... AH AH AH AH! No, no, not my feet, please!
ILV Now the belly, tickle (*solleticate*) his belly.
WS Confess that my plays are funny.
JPS Faccio più ridere io di te... AH AH AH! No, not under my chin, please!
ILV Sarebbe plurale, not under his chins.
JPS If I were you...
ILV Shakespeare, stop. He used the second IF. Anche se non l'hanno ancora fatto. È grave.
WS Guards, bring me another quill (*piuma d'oca*). Ok, dear student. While we are waiting, I, William Shakespeare, will teach you the most important forms of IF. You will find the third one if in the Shed.
Let's start with IF zero.
JPS Lo conosce già, genio! Il Conditional Zero è nel *Block 7*. Ha già fatto anche un esercizio relativo a quell'argomento. AH AH AH AH! No, not my back, please AH AH AH AH! No, not under my arms...
WS The first conditional expresses an action...
JPS Shakespeare, stai facendo il solito errore che fanno quasi tutti gli insegnanti in Italia. Se tu spieghi le regole in inglese a uno studente italiano, gli stai dando già due problemi contemporaneamente. Quindi, tengo io la lezione.
ILV He can't speak Italian.
JPS I know. Infatti volevo aggiungere che è proprio un babbo.
ILV Quindi stai dicendo che tu insegni inglese meglio di Shakespeare?!

PERIODO IPOTETICO

JPS Sì, è proprio così. E sicuramente in modo meno noioso. Ora, il primo IF lo chiamo "IF reale" perché si parla di una vera possibilità nel futuro. Per esempio: if I come to play tennis tonight, I will bring my new racket. (*Se vengo a giocare a tennis stasera, porterò la mia racchetta nuova.*) Chi ti ascolta capisce che c'è una vera possibilità che tu vada a giocare a tennis quella sera. Mentre se io metto il verbo principale e il verbo modale al passato, questo è il secondo if, e qui non si parla di qualcosa di reale, ma di qualcosa che è puramente ipotetica. Quindi, mettiamo che io dica: "If I played tennis, I would come toninght" (considera would sempre come passato di will), cioè se io giocassi a tennis, verrei stasera. Vedi, quando in italiano si vuole esprimere il secondo if, quello puramente ipotetico, non si usa il passato, ma il condizionale. Comunque, nello Shed c'è la lezione su IF preparata per il nostro studente.

SHED 15 IF

WS If you don't shut up (*taci*), I will get one hundred feathers (*piume*) from my bedroom (get come prendere perché le piume non sono presenti lì dove stanno parlando loro).

JPS Why do you have one hundred feathers in your bedroom? Sei un po' strano, eh, Shaky... AH AH AH! No, non mi ha torturato. Era solo divertente la mia battuta. AH AH AH! Questa volta invece sì... no, no, not my nose, please! If I could, I would slap your face (*ti prenderei a sberle*)

ILV Tickle his neck. If you tickle his neck, I'll give you some popcorn.

WS No, thank you. If I liked popcorn, I would eat it with you. Maybe with a glass of wine and a candle (*candela*).

JPS This is too strange now, liberatemi subito!

ILV But I'm an old man, William.

JPS Liberatemi!!!

ILV If I were a young man, I would have dinner with you.

JPS Vi prego, ditemi che state facendo questo discorso per insegnare IF.

ILV Kiss me, William, I love you.

JPS Guys (*ragazzi*)! You need privacy.

WS Yes, we do. Let's go to the Shed.

JPS No, the student will be in there. He has to do the exercises on IF.

WS Ok, if we can't go to the Shed, I will transform into a purple elephant.

ILV Me too.

Dopo un bagliore accecante, JPS ha visto due enormi elefanti viola nella stanza.

JPS My God! What was in the tobacco?

John, John, wake up! Quando JPS si è svegliato, Shakespeare stava ancora finendo di proclamare la sua poesia alla regina.

WS I looked at a little white mouse and it reminded me of your milky skin.
QE Creep (*ruffiano*). Guards! Take the old man and his old friend that sleeps and cut off their heads.
JPS No, please! Your Majesty... Why, why do you say I'm old?!
QE Take them away.

A questo punto sono arrivato io. E tutti si sono inginocchiati.

D Come with me. Mentre ci spostiamo c'è un test crossword sui vocaboli delle parti del corpo, così non ci si annoia durante lo spostamento.

ANATOMY
TEST 9

Across
3 Braccio
4 Petto
7 Ginocchio
8 Gamba
9 Caviglia
10 Mano
11 Dito
14 Pancia

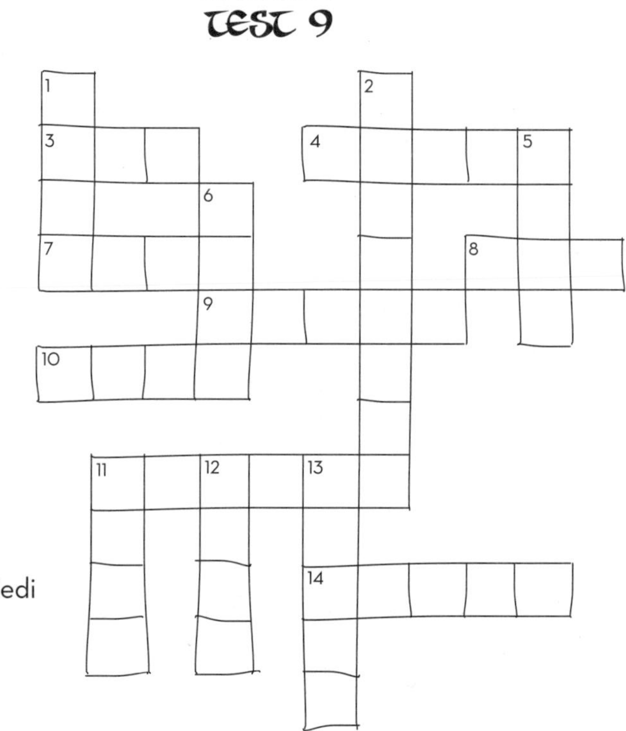

Down
1 Schiena
2 Spalla
5 Dita dei piedi
6 Testa
11 Piedi
12 Collo
13 Gomito

E così siamo tornati nella Unoriginal Time Machine. John ha voluto provare la ruota della fortuna. Ma, agitato come un bambino, ha tirato la leva con troppa forza e la ruota della fortuna è uscita dal suo perno. Nonostante ciò, la Unoriginal Time Machine è ugualmente partita. Tutti e tre sono rimasti immobili. Poi hanno sentito da fuori qualcuno che tirava su col naso ripetutamente.

JPS Ah, they can smell you, Vecchio.
ILV When I have the opportunity, I will change my clothes *(vestiti)*.
JPS Come on, let's go.

JPS ha aperto la porta e si è trovato faccia a faccia con un Tirannosaurus Rex. Con grande pazienza io e Il Vecchio abbiamo tentato di riparare la ruota della fortuna. JPS era terrorizzato e non riusciva a muoversi. Il T-Rex ha spalancato la bocca e ha cacciato un urlo pazzesco. Subito dopo è fuggito a gambe levate.

ILV Mi credi adesso quando ti dico che sei brutto?!
JPS Ma pensa te! Pensiamo di sapere tutto sui dinosauri, invece non sappiamo niente! Il T-rex è un cagasotto.

In qualche maniera siamo riusciti a riparare la ruota della fortuna, ma sembrava non essere ancora del tutto a posto. La UTM si è comunque messa in moto, scricchiolando molto. Dopo qualche inquietante attimo di tensione, tutto si è fermato. Non sapevamo dove e, soprattutto, quando eravamo arrivati.

UTM BEEP BEEP BEEP! La porta si aprirà solo al completamento del seguente test.

IF
TEST 10

1. Se mi aiuti, ti porterò in vacanza con me.

....

2. Se lui studia, andrà a Miami.

....

3. Se chiami tua nonna, ti inviterà a cena.

4. Se vedi Daska, digli di chiamarmi.

5. Se lei non corre, perderà il film. È un brutto film comunque.

6. Se lei avesse quella casa, farebbe tante feste.

7. Se fossi in lui, guiderei con più attenzione (*more carefully*).

8. Se vincessi la lotteria, comprerei una piscina (*swimming pool*).

9. Se fossimo a Miami, saremmo in spiaggia.

10. Se lui fosse un animale, sarebbe un maiale.

All'improvviso la punta di una lancia ha trafitto la porta della Unoriginal Time Machine e subito la porta si è spalancata. Davanti a noi, tre uomini. Erano incredibilmente pelosi e indossavano soltanto pelli di animali legate intorno alla vita.

UP: UOMO PELOSO
CW: CAVEWOMAN

JPS Oh my God, we're in Scotland.
ILV Per me è Bergamo.

Uno degli uomini pelosi ha aperto la bocca.

UP Ugh. Ugh ugh uaah ugh.
JPS Definitely Scotland. Saranno appena usciti dal pub.
D They are cavemen, they are the first men. This is why they can't talk.

Poi è arrivata la voce di una donna, una cavernicola.

CW No, they can't talk because they are men. We women always talk.
JPS What a surprise!

John osservava la cavernicola. Aveva lunghi capelli neri, selvaggi, folti. Bellissimi e grandi occhi verdi. Una bocca carnosa, di un rosa particolarmente intenso. Le sue spalle erano lisce come gli artigli di un corvo... Vabbe', hai capito. Era macchiata di sangue qua e là e pelli di animali le ricoprivano il seno e le parti intime.

JPS Poi dicono che mi vesto male io...
CW What's your name?
JPS Just call me John.

La cavernicola ha allungato la sua mano e con occhi innamorati ha preso quella di JPS per portarlo via con sé.

CW Please, come with me.
D Wait! Take these with you.

E così ho dato due paia di occhiali a JPS: un paio WATCH e un paio LOOK.

WATCH VS LOOK

D These glasses are for looking, perché to look at something vuol dire guardare com'è fatto qualcosa, l'aspetto estetico. Puoi guardare come sono fatte le loro caverne, puoi guardare la bellezza di questa natura ancora incontaminata. While these glasses are for watching, che vuol dire che puoi osservare qualcosa che succede. Con questi occhiali puoi guardare cosa fanno mentre vanno a caccia o mentre cucinano... Prendili, portali con te.

JPS Sì, ma è facile per te dirmi in due parole la differenza tra watch e look. Ma gli esercizi?

D Sono nello Shed, ovviamente.

JPS E say e tell?

SAY VS TELL

D Dai, sanno tutti che to say significa dire in mezzo a un discorso, tipo he said "bla, bla, bla", then she said "bla, bla, bla", mentre to tell significa dire nel senso di raccontare o dare ordini.

JPS Sì, lo so. Ma gli esercizi?

CW Vabbe', saranno nello Shed anche loro. L'ho capito persino io questo.

JPS E il Present Perfect?

CW Andiamo!

JPS è andato via con lei. Hanno camminato in un'enorme distesa di erba alta verdissima finché hanno raggiunto un fiume. Là, si sono seduti insieme e hanno parlato. La cavernicola era triste e questo preoccupava JPS.

JPS What's wrong? (*Cosa c'è?*)

CW I'm worried (*preoccupata*).

JPS Why?

CW Because... All those lessons, say and tell, watch and look, they are so important! And I'm afraid (*temo*) that the student will forget to go and do those exercises in the Shed.

JPS Don't be silly (*sciocca*). Of course our student will go to the Shed and learn all the wonderful things that are in there.

Sentendo queste parole, la cavernicola ha fatto un gran sorriso e ha emesso un lungo sospiro di sollievo.

SHED 16 **WATCH VS LOOK**
SHED 17 **SAY VS TELL**

CW Of course, you're right. I'm so silly.

E si sono abbracciati.

CW John?
JPS Yes, my silly prehistoric love.
CW Where do you come from?
JPS Birmingham, and you?
CW I come from a land where there is nothing. There is no work, no hope (*speranza*), no happiness (*felicità*).
JPS Ah, so you're from Birmingham too.
CW Where do you live now?
JPS Now I live in Milan, in Italy. A place where there is a lot of hope, some work but no English.
CW What do you do?
JPS I write books.
CW What are books?
JPS Books are lots of pages put together (*messe insieme*) to make one single object.
CW I write too.
JPS Really? Where?
CW The wall.
JPS Stop it. Roger Waters wrote *The Wall*. In fact (*in realtà*) Pink Floyd is NOT Pink Floyd without Roger Waters.
CW I write on the walls of caves.
JPS What do you write with?
CW Blood (*sangue*). The blood of animals. Please, describe where you live.
JPS I live in a small house in Rho, which is near Milan; but if this book sells

(*vende*) a lot, I'm going to buy a big house, maybe with an idromassaggio in bagno.

CW What is Rho like?

JPS It's nice, but I don't go out very often. Perché da quando ho litigato con Sgarbi in TV mi vergogno un po'.

CW Your world sounds wonderful.

JPS Eh, capirai!

Dopo un istante la cavernicola ha preso per mano JPS e gli ha sussurrato:

CW Will you spend (*passare*) the night with me?

JPS What?! In a cave? No, non penso proprio... mi sa che ho lasciato le calze di lana a casa.

CW I think I love you.

JPS I'm sorry, you're very sweet and you're very beautiful, ma io ho una regola. Non esco mai con donne più pelose di me. Come on darling (*tesoro*), let's go.

Quando JPS è tornato alla Unoriginal Time Machine con la sua nuova ragazza, avevamo finito di riparare per bene la ruota della fortuna.

JPS Ok, let's go... back to Verbania!

ILV Bravo, bravo. A cosa è servito quel discorso con la cavernicola? Non ha insegnato niente.

JPS Shall we go?

La cavernicola ha iniziato a piangere.

CW Please, take me with you. I have nothing here. No family, nobody to love...

JPS What's your name?

CW I'm Lida.

JPS Lida, if I could take you with me I would, but I can't interfere (*interferire*) with nature. I can't change destiny. This would be (*sarebbe*) a great crime (*reato*) against Nature and Time. No man can do this.

CW But I will cook for you and give you a back massage every night.

JPS Dai sbrigati, salta su.

ILV To Verbania.

In pochi secondi sono arrivati a Verbania, ma non si trovavano più nello stesso punto dal quale erano partiti. Quando si è aperta la porta della Unoriginal Time Machine si sono trovati davanti una gigantesca struttura, con una grande scala centrale. In cima si poteva scorgere un forziere. Ma davanti a questa grande struttura c'era un cancello chiuso. Si sono avvicinati al cancello.

D Ladies and Gentlemen, this is the Temple of Daskalos. In cima c'è un forziere, dentro al quale il nostro caro studente troverà quello che sta cercando. Ma prima dobbiamo aprire questo cancello.

SOLUZIONI TEST

TEST 1

1 It's five to seven in the evening.
2 It's twelve minutes to eight in the morning.
3 It's a quarter to four in the afternoon.
4 It's a quarter past two in the night.
5 It's twenty-seven minutes to nine in the evening.
6 It's a quarter past nine in the morning.
7 At noon.
8 It's six minutes to six in the afternoon.
9 It's twenty past one in the night.
10 It's ten to five in the afternoon.

TEST 2

It's thirteen minutes to ten.

TEST 3

1 I'm + il tuo nome.
2 I'm a man / woman.
3 I'm in Verbania.
4 John Peter Sloan.
5 John is English / British.

TEST 4

1 On Mondays he works as a waiter and on Tuesdays he works as a barman.
2 I love you as you are.
3 You are as beautiful as the sun.
4 Birmingham is as beautiful as Rome.
5 You are as fast as a tiger.
6 You don't have to come to the meeting tomorrow, it's too boring for you.
7 Your mum must help you.
8 I have to tell her something important.

9 I must say that Italy is marvelous.
10 We have to make our decision by tomorrow.

TEST 5

1 It's a quarter to eleven.
2 I usually have breakfast at half past seven in the morning.
3 I always go to work by car.
4 I never travel by plane.
5 Do you often go to the cinema with him? – No, never.
6 Do you ever go on holiday by train? – Yes, very often.
7 My friend rarely goes to work on foot.
8 They always go to the beach in the summer.
9 I never have breakfast in the morning.
10 Do you ever go to the restaurant? – No, rarely.

TEST 6

1 They know all my secrets.
2 Now my brother is studying, my sister is playing and my mum is cooking.
3 Inter never wins, they are losing now.
4 Giorgio does karate every Friday.
5 They never eat fast food.
6 Today Frank is drinking water, he usually drinks beer.
7 Jack goes to the gym three times a week.
8 In this period my mum is studying English, she is having fun.
9 Once a week Franco goes to the cinema with Teresa.
10 Kate never uses the phone when she works.

TEST 7

1 Will Piero marry Pinuccia?
2 No, he won't because Pinuccia will fall in love with a stranger.
3 She's going to choose a rich man.
4 He's not going to wait.
5 Is he going to fall in love again?

6 Will he trust her again? I don't think so.
7 They will never go out for dinner again.
8 He's going to relax with a nice holiday.
9 Will she stay at home with the rich stranger?
10 She's not going to speak to him, but she thinks he'll call her.

TEST 8

1 Can I go out with my crazy friends tonight?
2 She can't eat pasta because she's on a diet.
3 Can we sleep without the cat, please?
4 I will be able to call you when I am free.
5 He could speak with his mouth full.
6 She couldn't sleep because there was too much noise.
7 She could change her hair colour.
8 He could do things better.
9 You could see the Colosseum if you go to Rome.
10 Could I come in, please?
11 Franco went home, had a shower and then watched TV.
12 While Gina was drinking, her husband told her he was happy.
13 Gino was cleaning the house while Pina was playing on the computer.
14 Last week Gino was too tired to go to work.
15 They were happy when they were reading.
16 Were you listening to me? – No, I wasn't.
17 I finished work and then I went to the beach for a nice swim.
18 Last year I travelled a lot. It was fantastic.
19 I saw your friend at the party last week, he was very drunk.
20 I called you yesterday. Why didn't you answer?

TEST 9

1 B						2 S				
3 A	R	M			4 C	H	E	S	5 T	
C			6 H			O			O	
7 K	N	E	E			U		8 L	E	G
			9 A	N	K	L	E		S	
10 H	A	N	D			D				
						E				
	11 F	I	12 N	G	13 E	R				
	E		E		L					
	E		C		14 B	E	L	L	Y	
	T		K		O					
					W					

TEST 10

1. If you help me, I'll take you on holiday with me.
2. If he studies, he'll go to Miami.
3. If you call your granny, she will invite you to dinner.
4. If you see Daska, tell him to call me.
5. If she doesn't run, she'll miss the film. It's a bad film anyway.
6. If she had that house, she would have a lot of parties.
7. If I were him, I would drive more carefully.
8. If I won the lottery, I would buy a swimming pool.
9. If we were in Miami, we would be on the beach.
10. If he were an animal, he would be a pig.

THE SHED

1 COMPARATIVES AND SUPERLATIVES

I comparativi sono aggettivi che mettono in relazione tra loro due cose o persone. Bisogna sempre ricordarsi di aggiungere **THAN** dopo l'aggettivo.
Il comparativo di maggioranza di **GOOD** (buono) è **BETTER** (meglio).
Quello di **BAD** (cattivo) è **WORSE** (peggio).
She is BETTER THAN him. (Lei è meglio di lui.)
He is WORSE THAN her. (Lui è peggio di lei.)
Good e *bad* sono due casi particolari. Di norma il comparativo si forma aggiungendo **-ER** alla fine dell'aggettivo (se l'aggettivo è corto) oppure aggiungendo **MORE** prima dell'aggettivo (se l'aggettivo è lungo). Guarda questi esempi:
FAST (veloce), **FAST + ER = FASTER** (più veloce)
EXPENSIVE (costoso), **MORE EXPENSIVE** (più costoso)
Ora, senza dimenticarci di *than*, formiamo delle frasi:
A train is FASTER THAN your car. (Un treno è più veloce della tua auto.)
Your bag is MORE EXPENSIVE THAN hers. (La tua borsa è più cara della sua.)
Eccezione: se l'aggettivo termina con una consonante preceduta da vocale, si raddoppia la consonante prima di aggiungere *-ER*. *Look*:
BIG (grande), **BIGGER** (più grande)
America is BIGGER than Italy. (L'America è più grande dell'Italia.)
Con i superlativi è altrettanto facile; il superlativo di *good* è **THE BEST** (il migliore). Quello di *bad* è **THE WORST** (il peggiore).
Messi is THE BEST player in the world. (Messi è il miglior giocatore al mondo.)
She is THE WORST in her classroom. (Lei è la peggiore della sua classe.)
Per tutti gli altri aggettivi si aggiunge l'articolo **THE** prima dell'aggettivo e il suffisso **-EST** dopo (se l'aggettivo è corto), oppure si aggiunge **THE MOST** prima dell'aggettivo (se l'aggettivo è lungo). Qui non serve *than*.
COLD (freddo), **THE + COLD + EST = THE COLDEST** (il più freddo)
BEAUTIFUL (bella), **THE + MOST + BEAUTIFUL = THE MOST BEAUTIFUL** (la più bella)
Siberia is THE COLDEST place on Earth. (La Siberia è il posto più freddo della terra.)
My daughter is THE MOST BEAUTIFUL in the world. (Mia figlia è la più bella del mondo.)

EXERCISE "IN THE SHED" 1

1. Mia moglie è peggiore della sua (*di lui*).

2. La mia macchina è migliore della sua (*di lei*).

3. La sua (*di lui*) macchina è peggiore della mia.

4. Il loro lavoro è migliore del vostro.

5. Il vostro capo è peggiore del nostro.

6. Voi siete i peggiori.

7. Loro sono i migliori.

8. Lui è il peggiore. Noi siamo meglio di lui.

9. La mia scuola è la migliore.

10. La Scozia ha il cibo peggiore del mondo.

2 DOUBLE OBJECT

Nel libro ho già buttato qua e là qualche frase in cui c'era il *Double Object*, ma ora vediamo nel dettaglio cosa vuol dire "oggetto doppio". Facciamo subito degli esempi con i *building blocks*:

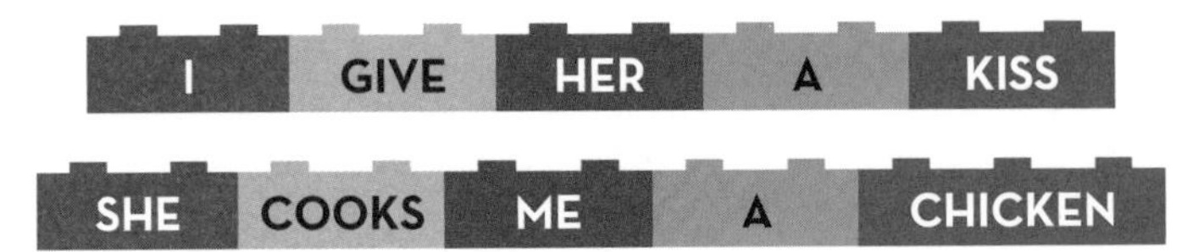

Come vedi il verbo (*green word*) è seguito da due complementi; essi rispondono alle domande A CHI? E CHE COSA?
Il primo è il complemento indiretto; dice a chi viene fatto, detto, portato, cucinato, dato (e così via) qualcosa, cioè è il destinatario. È la nostra *purple word*.
Il secondo è il complemento diretto, cioè quel "qualcosa" oggetto del verbo. Nei nostri esempi, la *red word*.
I give her a kiss. (Le do un bacio.)
Io do, a chi? A lei (*her*). Che cosa? Un bacio (*a kiss*).
She cooks me a chicken. (Lei mi cucina un pollo.)
A chi cucina? A me (*me*). Cosa cucina? Un pollo (*a chicken*).
Dopo il verbo metti una *purple word* (pronome personale complemento) che indica a chi è rivolta l'azione. Subito dopo metti l'oggetto dell'azione (generalmente una *red word*). Questa è la struttura sintetizzata:
SOGGETTO + VERBO + A CHI + CHE COSA

EXERCISE "IN THE SHED" 2

1. Lei gli dà un bacio.

   ....

2. Lui le compra dei biscotti (*biscuits*).

   ....

3. Lei gli cucina due bistecche (*steaks*).

   ....

4. Dicci la verità (*truth*).

....

5. Guardala, lei è arrabbiata.

....

6. Lei vuole il tuo amore.

....

7. Insegnami come amare.

....

8. Chiedile di sposarti (*to marry*).

....

9. Comprale un anello (*ring*).

....

10. Cucinami un pollo.

....

3 SIMPLE PRESENT

Il primo e il più semplice dei tempi verbali inglesi esprime delle verità e delle azioni svolte regolarmente, cioè le cose di tutti i giorni. In italiano in genere si tende a usarlo più spesso che in inglese, per cui bisogna fare attenzione. Per esempio, se tu mi dici **I read this book** (leggo questo libro), quello che io capisco è che tu regolarmente leggi questo libro. Oppure **I eat pizza** (mangio la pizza) e non aggiungi altro, mi fai capire che mangiare la pizza è una cosa che fai di routine. Invece forse tu intendevi dire "sto leggendo questo libro" oppure "sto mangiando una pizza". La frase affermativa è semplicissima:

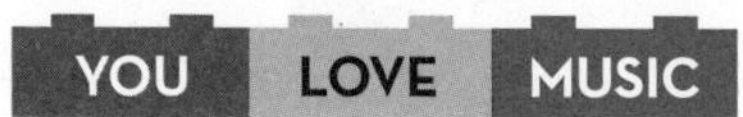

Soggetto (*blue block*) + verbo (*green block*) sono le due parti essenziali.

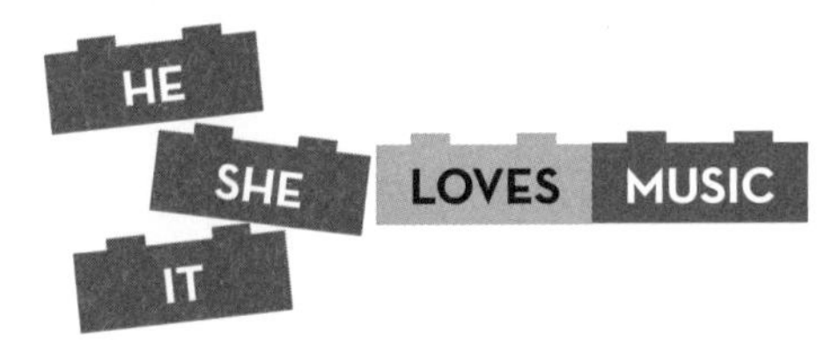

Bisogna SEMPRE ricordarsi di aggiungere la **S** al verbo della terza persona singolare. Per tutte le altre persone *(I, you, we, they)* il verbo rimane invariato.
Ci sono dei casi particolari che è importante ricordare:
1 Se il verbo termina per -SS, -SH, -CH, -X, -O si aggiunge ES

to kiss (baciare) = she **kisses**
to wash (lavare) = he **washes**
to watch (guardare) = she **watches**
to fix (sistemare) = he **fixes**
to go (andare) = she **goes**

2 Se il verbo termina per -Y preceduta da consonante, si toglie la Y e si aggiunge -IES (se la Y è preceduta da vocale, il verbo rimane invariato e devi aggiungere solo la S)

to spy (spiare) = he **spies**
to play (giocare, suonare) = she **plays**

Per la forma negativa ci serve la *gold word* **DO** e il mattoncino **NOT**. Li infiliamo tra il soggetto e il verbo, così:

SOLO alla terza persona singolare usiamo **DOES** al posto di *do*. *Does* prende con sé la S che avevamo aggiunto al verbo. Quindi è così:

Possiamo comprimere i *blocks* per ottenere le forme contratte:

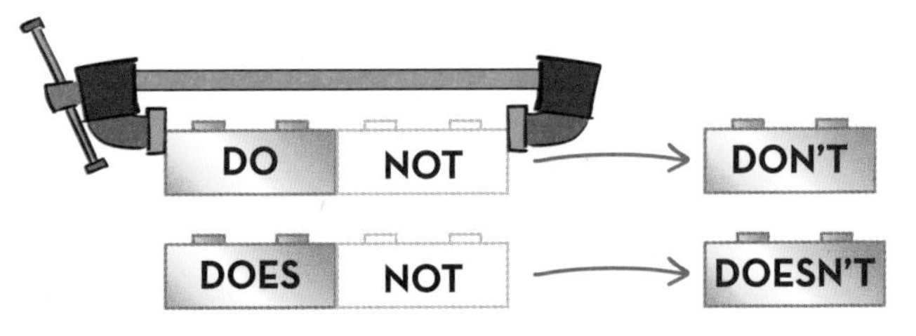

Per la forma interrogativa mettiamo *do* o *does* all'inizio della frase; automaticamente un punto di domanda si aggiunge alla fine.

E ora rispondiamo alla domanda con le *short answers*, molto facili da costruire. Usiamo *do, does, don't* o *doesn't*, in base alla risposta che vogliamo dare.

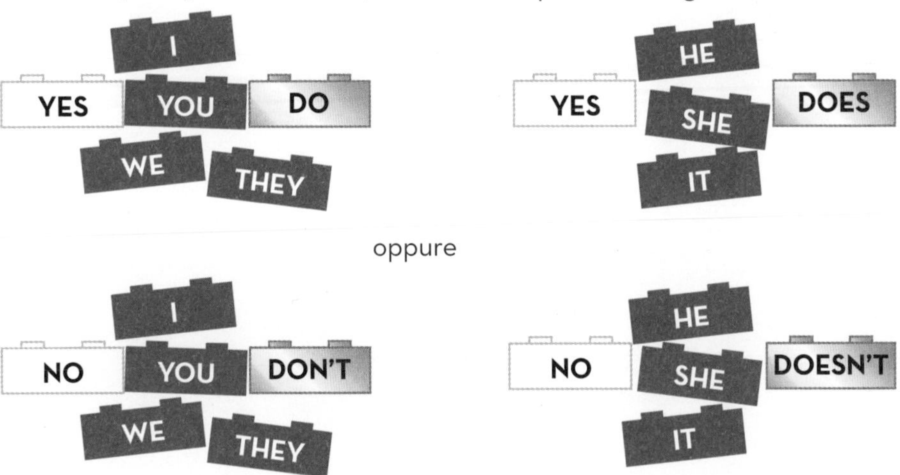

La forma interrogativa negativa, a questo punto, è semplicissima: usa la forma contratta *don't* oppure *doesn't* per costruire la domanda:

Mi soffermo un attimo sulla *gold word* **DO**. Oltre al suo ruolo fondamentale nel *Simple Present, do* è anche un verbo e significa “fare”. Anche **MAKE** vuol dire “fare”. Qual è la differenza? *Make* significa creare qualcosa che prima non c’era. Cioè, alla fine dell’azione c’è un risultato. Per esempio:
You make a cake. (Fai una torta.) – Prendi uova, burro, farina e così via, li metti insieme e alla fine avrai una torta.
My mum makes dinner. (Mia mamma prepara la cena.) – Cucina e alla fine c’è la cena, prima non c’era.
He makes a lot of friends. (Lui si fa tanti amici.) – Prima non c’erano.
They make a lot of money. (Fanno tanti soldi.) – I soldi non c’erano, ora sì.
Make vuol dire anche “far fare” qualcosa a qualcuno o provocare una reazione.
You make me cry. (Tu mi fai piangere.)
She makes him happy. (Lei lo fa felice.)
They make their daughter laugh. (Loro fanno ridere la loro figlia.)
He makes her sad. (Lui la rende triste.)
Oppure puoi utilizzare *make* nel senso di “costringere” qualcuno a fare qualcosa:
She makes him watch X Factor. (Lei lo costringe a guardare X Factor.)
His boss makes him work hard. (Il suo capo lo fa lavorare duramente.)
My mum makes me eat vegetables. (Mia mamma mi fa mangiare le verdure.)
Invece *do* significa fare in generale, eseguire, fare un lavoro, fare i compiti, fare uno sport. Fare qualcosa senza ottenere un risultato finale. Per esempio:
I do the shopping. (Io faccio la spesa.)
I do my job. (Faccio il mio lavoro.)
I do the washing. (Faccio il bucato.)
I do the cleaning. (Faccio le pulizie.)
I do an exercise. (Faccio un esercizio.)
I do yoga, kung fu and karate. (Faccio yoga, kung fu e karate.)
Avevamo visto nel *Block 7* che anche il verbo *have* può significare “fare”, ricordi? Confronta questi esempi:

We have dinner. (Ceniamo.)	**We make dinner.** (Prepariamo la cena.)
I have a job. (Ho un lavoro.)	**I do a job.** (Svolgo un lavoro.)

EXERCISE "IN THE SHED" 3

1. Lei mi fa felice quando io la faccio ridere (*laugh*).

   ....

2. Lei mi fa fare tutta la spesa (*shopping*).

   ....

3. Noi facciamo i nostri compiti (*homework, solo al singolare*) tutti i giorni.

   ....

4. Lei fa i mestieri (*housework*) tutti i giorni.

   ....

5. Loro fanno molte feste perché non lavorano.

   ....

4 ADVERBS OF FREQUENCY

Gli avverbi di frequenza sono parole che servono per esprimere la frequenza delle azioni nella quotidianità del Simple Present.

I eat pizza. (Mangio la pizza.) Quando? Ogni quanto? Spesso, mai, sempre?

I ALWAYS eat pizza. (Mangio sempre la pizza.)

She USUALLY eats pizza. (Lei di solito mangia la pizza.)

You OFTEN go on holiday. (Tu vai spesso in vacanza.)

They SOMETIMES drink wine. (Loro qualche volta bevono vino.)

He RARELY works. (Lui raramente lavora.)

We NEVER go on holiday. (Noi non andiamo mai in vacanza.)

Fai attenzione: in inglese non si può fare una doppia negazione. Quindi non puoi dire we don't never go on holiday. **Never** è già negativo in sé.

Per fare domande con gli avverbi di frequenza basta mattere la *gold word do* all'inizio e il punto di domanda alla fine della frase.

Mangi sempre la pizza?

L'unico avverbio che cambia è *never*: nella interrogativa diventa **EVER**.

Mangi mai la pizza?
Per chiedere invece ogni quanto fai qualcosa, devi utilizzare **HOW**.
How often do you eat pizza? (Ogni quanto mangi la pizza?)

Per finire ripassiamo un altro argomento: i mezzi di trasporto. Tutti sono accompagnati dalla preposizione *BY*, tranne "a piedi" che si dice **ON FOOT**; è il mezzo di trasporto che odio di più. Quindi te li riassumo brevemente: **BY CAR** (in macchina), **BY TRAIN** (in treno), **BY BUS** (in autobus), **BY PLANE** (in aereo).
I go to work by train but I go to the pub on foot.
(Io vado al lavoro in treno, ma vado al pub a piedi).

5 QUESTION WORDS

Eccoti una serie di parole utili per fare domande in inglese:

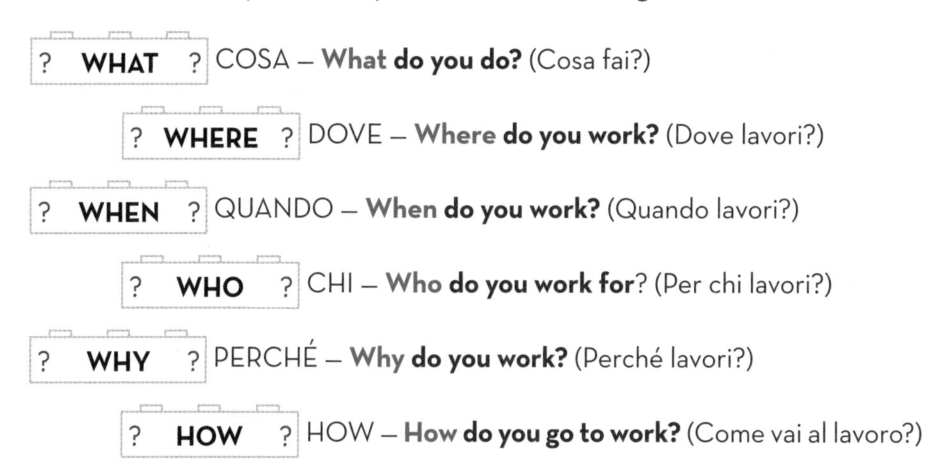

COSA – **What do you do?** (Cosa fai?)

DOVE – **Where do you work?** (Dove lavori?)

QUANDO – **When do you work?** (Quando lavori?)

CHI – **Who do you work for**? (Per chi lavori?)

PERCHÉ – **Why do you work?** (Perché lavori?)

HOW – **How do you go to work?** (Come vai al lavoro?)

Come hai visto, le *question words* si mettono all'inizio della frase interrogativa, ma si possono utilizzare anche all'interno di frasi affermative. Per esempio:
I go to bed when I'm tired. (Vado a letto quando sono stanco.)

Ora rispondiamo, prima io e poi te:
WHAT do you do? – I'm a teacher.

I'M

WHERE do you work? – I usually work in Verbania.

WHEN do you work? – I always work, from Monday to Sunday.

WHO do you work for? – I don't have a boss.

WHY do you work? – Because I like it and I have fun.
Ricordati che nelle risposte "perché" si traduce con BECAUSE.

How do you go to work? – I sometimes go to work by car, but I usually go by bus; I never go on foot.

La *question word how* si può utilizzare insieme a degli aggettivi, come hai già visto.
How old are you? (Quanti anni hai?) Sicuramente ti ricordi anche che si usa per chiedere "come stai?", **how are you?** Ora guarda questi altri esempi:
How FAR is Milan from London? (Quanto è lontana Milano da Londra?)
How LONG does it take to get to London? (Quanto ci vuole per arrivare a Londra?)

EXERCISE "IN THE SHED" 4

1. Cosa mangi di solito?

2. Come si chiama lui?

3. Quando vai a dormire?

4. Perché mi ami?

5. Che lavoro fa lei? (*Cosa fa?*)

6. Dove vai di solito in vacanza?

7. Con chi vivi?

8. Come arrivi qui di solito? – In aereo.

9. Dove e cosa mangi di solito per pranzo?

10. Chi è quell' uomo?

11. Da dove vieni (*come*)?

12. Perché non vai mai in vacanza?

....

13. Dov'è il tuo cappotto?

....

14. Come la conosci?

....

15. Perché mi baci sempre?

....

16. Dove sono i tuoi soldi?

....

17. Quando è il tuo compleanno?

....

18. Cosa fai di solito di domenica?

....

19. Quando e perché?

....

20. Con chi lavori?

....

21. Quando si arrabbia lei di solito?

....

22. Chi vuole lei? Me o lui?

....

23. Chi fa le pulizie (*the cleaning*) in quella casa?

24. Cosa beve lui di solito?

25. Perché non mi odi?

26. Come ti piace la tua pizza?

27. Quando vanno in vacanza di solito?

28. Come sta tuo nonno?

29. Quanto dista casa tua dal tuo lavoro?

30. Perché gli dai sempre così tanto tempo?

? **WHICH** ? QUALE

Infine vediamo **WHICH**; è una *question word* che (come *what*) significa "quale"; ma c'è una differenza. *Which* ti permette una scelta tra un numero limitato di cose, mentre con *what* la scelta è infinita. Per esempio:
Which colour do you like: red, blue or purple? (Che colore ti piace: rosso, blu o viola?)
What's your favourite colour? (Qual è il tuo colore preferito?)

Mi soffermo ancora un attimo su **HOW**; unito alle parole **MUCH** o **MANY** indica delle quantità. In questa forma introducono delle frasi interrogative.
HOW MUCH? significa "quanto?" e si usa con sostantivi singolari e con gli *uncountables*. **HOW MANY?** significa"quanti/e?" e si usa con i sostantivi plurali e con i *countables*. Per parlare di quantità si possono utilizzare entrambi, così:
How much ketchup do you want on your pasta? (Quanto ketchup vuoi sulla tua pasta?) – Ketchup non è numerabile.
How many books do you read in a year? (Quanti libri leggi all'anno?) – Books è numerabile e plurale.
Per parlare di prezzi e costi invece si usa esclusivamente *how much*.
How much is this house? (Quanto costa questa casa?)
How much are those shoes? (Quanto costano quelle scarpe?)
Adesso bisogna esercitarsi. *Come on!*

EXERCISE "IN THE SHED" 5

1. Quanto costa quella macchina?

   ....

2. Quanti bambini hai?

   ....

3. Quante camicie blu hai?

   ....

4. Quanto mi ami?

   ....

5. Quanto zucchero vuoi (*would you like*)?

   ....

6. Quante pecore ci sono?

   ....

7. Quante volte devo dirtelo?

   ....

8. Quante volte al mese (*times a month*) vai al cinema?

....

9. Che macchina è la tua (*fra le tre che sono qui, fuori dal pub*)?

....

10. Qual è il tuo colore preferito?

....

11. Quale lavoro vuoi fare, insegnante o dottore?

....

12. Che libro vuole leggere lei (*fra quelli che sono sul tavolo*)?

....

13. Quale animale vuoi (*in un negozio di pupazzi*)?

....

14. Quale cantante (*singer*) preferisci (*prefer*), Bono o Vasco?

....

15. Che ore sono?

....

6 AS VS LIKE

Entrambe queste parole si traducono con "come", ma con due diverse accezioni.

• **LIKE = COME**, significa "simile a". Per esempio:

You dance like a drunk horse. (Balli come un cavallo ubriaco.)

Ricordi che *like* è una *schizo word*? Se vuoi, puoi rileggere l'ultimo paragrafo del *Block 3* dedicato a questa parola.

• **AS = COME**, significa "nel ruolo di". Per esempio:

I work as a teacher. (Lavoro come insegnante.)

Significa anche "mentre". Guarda questo esempio:

As she speaks, I sleep. (Mentre lei parla, io dormo.)

Inoltre è elemento essenziale per il comparativo di uguaglianza. Si usa così: AS + aggettivo + AS e significa "tanto + *aggettivo* + quanto", oppure "*aggettivo* come". Con questi esempi ti sarà molto più chiaro:
Your house is as big as mine. (La tua casa è tanto grande quanto la mia.)
You are as tall as me. (Sei alto come me.)

7 MUST VS HAVE TO

Entrambi i verbi traducono "dovere", ma con due diverse accezioni.
• **MUST** si usa quando un ordine o una decisione sono stabiliti da chi parla.
I must eat less. (Devo mangiare meno.) – Sono io che decido di mangiare meno.
• **HAVE TO** si usa per indicare leggi, regole o decisioni imposte dall'esterno, non dipendenti dalla volontà di chi parla. *Have to* è sempre seguito da un verbo.
You have to drive sober. (Devi guidare sobrio.) – Se bevi non puoi guidare, questa è una decisione che non prendi tu ma ti viene imposta dalla legge.

EXERCISE "IN THE SHED" 6

1. Devi dimagrire (*lose weight*)!

   ....

2. Lui è grasso come un maiale, ma mi piace.

   ....

3. Ti voglio bene (*love*) come amico.

   ....

4. Devi andare al lavoro, è tardi (*late*)!

   ....

5. Lei parla (*speak*) come un pappagallo (*parrot*).

   ....

8 PRESENT CONTINUOUS

Il *Present Continuous* traduce il nostro gerundio, cioè quei verbi che finiscono in -ANDO -ENDO. Ciò che rende inconfondibile questo tempo verbale è il suffisso **-ING** alla fine del verbo; immaginalo come una calamita che si appiccica alla fine del verbo. Si forma così:

SOGGETTO + VERBO TO BE + VERBO (FORMA BASE) + ING

I AM EATING = sto mangiando

Ora un po' di esempi con tutte le persone:

I AM WALKING	=	Io sto camminando
YOU ARE EATING	=	Tu stai mangiando
HE IS SPEAKING	=	Lui sta parlando
SHE IS SLEEPING	=	Lei sta dormendo
IT IS RAINING	=	Sta piovendo
WE ARE PLAYING	=	Noi stiamo giocando
YOU ARE DRIVING	=	Voi state guidando
THEY ARE COMING	=	Loro stanno arrivando

Per la forma interrogativa, negativa e *short answers* considera la struttura del verbo essere. Perciò per l'interrogativa inverti la posizione di soggetto e verbo *to be*; per la negativa aggiungi **NOT** al verbo essere. Le risposte sono uguali alle *short answers* del verbo *to be*; infatti non serve ripetere tutta la frase.

Are you coming? (Stai arrivando?)

Yes, I am. / No, I'm not. (Sì. / No.)

She isn't walking. (Lei non sta camminando.)

Quando si attacca la calamita *ING*, alcuni verbi cambiano un po':

• I verbi che finiscono con una sola consonante preceduta da una sola vocale raddoppiano la consonante, poi si aggiunge **ING**.

STOP (fermare) – **STOPPING**

SIT (sedere) – **SITTING**

PUT (mettere) – **PUTTING**

TRAVEL (viaggiare) – **TRAVELLING**

• I verbi che finiscono in E perdono l'ultima lettera e si aggiunge **ING**.
HAVE (avere) – **HAVING**
COME (venire) – **COMING**
DRIVE (guidare) – **DRIVING**

Il *Present Continuous* ha tre usi.
1 NOW (adesso, in questo momento)
Indica un'azione che si svolge in questo istante, nel momento in cui si parla. Puoi usarlo quando la persona con cui stai parlando non ti vede (per esempio al telefono, al citofono o se è in un'altra stanza della casa). Guarda l'esempio:
La mamma chiede a sua figlia che è chiusa in bagno da ore:
Mum: **What are you doing?** (Cosa stai facendo?)
Daughter: **I am reading the newspaper.** (Sto leggendo il giornale.)

2 PERIOD (in questo periodo)
Indica un'azione che è già cominciata nel passato ma che non è ancora finita, ciò che sta accadendo in questo periodo. Può succederti questo:
Incontri un amico dopo tanto tempo e lui ti chiede:
Your friend: **So what are you doing in this period?** (Allora che cosa stai facendo in questo periodo?)
You: **Nothing special, I'm looking for a job.** (Niente di speciale, sto cercando lavoro.)

3 FUTURE (nel futuro)
Indica un'azione che si svolgerà nel futuro. È strano, lo so, ma è così. L'azione del futuro è già stata programmata ed è qualcosa di importante, così importante che hai già stabilito il giorno e magari anche l'ora in cui accadrà. Potresti già mettere una crocetta sul calendario per fissarla; generalmente si riferisce a un'azione di un futuro abbastanza prossimo. Per questo ti do una serie di vocaboli utili da conoscere per utilizzare il *Present Continuous in the future*.
TONIGHT = stasera / stanotte (fai attenzione, non si dice mai *this night*!)
THIS EVENING = stasera
TOMORROW MORNING = domani mattina

THIS WEEK = questa settimana
NEXT WEEK = settimana prossima
Incontri il tuo amico Tom che ti chiede:
Tom: **What are you doing tomorrow night at 9.00?** (Cosa farai domani sera alle 9.00?)
You: **I'm playing football**. (Giocherò a calcio.)

EXERCISE "IN THE SHED" 7

Now...

1. Cosa stai facendo? – Sto lavorando, dove pensi (*think*) che io sia (sono)?

   ....

2. Cosa sta facendo tuo marito? – Sta correndo nel parco.

   ....

3. Cosa sta facendo il nonno? – È seduto sul divano.

   ....

4. Lei sta cucinando, lui sta guardando la TV e il cane sta abbaiando *(bark)*.

   ....

5. Cosa stanno facendo al lavoro? – Lui sta dormendo e lei sta parlando.

   ....

In this period...

6. Guglielmo sta leggendo un libro di (*by*) Stephen King.

   ....

7. Gianni e Pinotto stanno lavorando tanto.

   ....

8. Silvio sta vendendo (*sell*) la sua vecchia casa.

   ....

9. Elvira sta studiando inglese.

....

10. Peter sta scrivendo un libro.

....

In the future...

11. Lunedì pomeriggio alle 5.00 lui giocherà a calcio con i suoi amici.

....

12. Martedì alle 9.00 lui mangerà una pizza con Teresa.

....

13. Sabato sera lui berrà una birra con me.

....

14. Domenica pomeriggio lui dormirà sul divano.

....

15. Domenica sera lui guarderà un film a casa e poi andrà a dormire.

....

9 TO BE GOING TO

Il verbo **to be going to** in inglese può significare due cose diverse.

1 È il *Present Continuous* del verbo "andare" (*to go*). In questo caso indica un'azione già programmata.

Tomorrow I'm going to the disco. (Domani andrò in discoteca.)

2 È il futuro intenzionale. Indica una azione futura della quale non sai ancora niente di preciso; non sai esattamente quando accadrà, ma hai intenzione di farla. Quello che è certo è che capiterà in futuro.

I'm going to buy a new house. (Ho intenzione di comprare una casa nuova.)

Per essere certo di non sbagliare, fai attenzione alla costruzione della frase:

- **to be going to + luogo = Present Continuous**
- **to be going to + verbo = futuro intenzionale**

Per le forme interrogativa e negativa, procedi come per il *Present Continuous*.
What are you going to do? (Cosa hai intenzione di fare?)
I'm not going to call her! (Non ho intenzione di chiamarla!)
Eccoti altri esempi; i primi tre casi sono *Present Continuous*, l'ultimo è futuro intenzionale.
Now I'm going to the gym. (Adesso sto andando in palestra.)
In this period I'm going to the library to study. (In questo periodo sto andando in biblioteca a studiare.)
Next week I'm going to Genova. (La settimana prossima andrò a Genova.)
I'm going to lose weight. (Ho intenzione di dimagrire.)

EXERCISE "IN THE SHED" 8

1. Sto andando a Miami.

   ....

2. Mio figlio ha intenzione di diventare un cantante.

   ....

3. Hai intenzione di guardare lo spettacolo?

   ....

4. Non ho intenzione di guardare la partita (*match*) con lui.

   ....

5. Lei sta andando a casa sua (*di lui*) e lui sta andando a casa sua (*di lei*).

   ....

6. Abbiamo intenzione di vedere New York.

   ....

7. Non ho intenzione di perdere (*lose*) i miei soldi al casinò.

   ....

8. Hai intenzione di rilassarti?

   ....

9. Hai intenzione di baciarmi, un giorno?

10. Ho intenzione di tagliare (*cut*) i miei capelli, ma non so quando.

10 FUTURE SIMPLE

La parola chiave per il *Future Simple* è **WILL**. Questo tipo di futuro si usa quando la decisione di fare qualcosa nel futuro si prende ora, in questo momento. Adesso io decido, quindi dico: "I will..." (che si può contrarre in **I'LL**). In realtà l'utilizzo della forma contratta è molto diffuso, generalmente la si preferisce a quella estesa. Perché la forma estesa ha un tono piuttosto solenne, indica una promessa, un impegno importante. Il *Future Simple* si utilizza anche per esprimere previsioni su cose che accadranno in futuro, specialmente se stai parlando di qualcun altro. Dato che non stai parlando di qualcosa che farai tu, esprimi il tuo punto di vista, immagini, prevedi che le cose andranno in una certa maniera. Comunque se ci pensi bene non puoi esserne completamente certo.
Per esempio, mi hai appena detto che stasera andrai al cinema:
I'll come to the cinema too! (Verrò anch'io al cinema!) Ho deciso adesso.
Alla tua nuova ragazza potresti dire:
I will always be faithful to you. (Ti sarò sempre fedele.) Promessa impegnativa!
Vedo Kate e Mark allontanarsi dal pub dopo una bella serata:
I think she'll kiss him. (Penso che lei lo bacerà.) So che ha un debole per lui.
Infine ti faccio notare una sottile differenza nelle prossime due frasi:
I'll marry her. (La sposerò.)
I will marry her. (*Prometto che* la sposerò.) Qua si capisce che si fa sul serio.
Per tutte le persone *(I, you, he, she, it, we, you, they)* la costruzione della frase è la stessa:
SOGGETTO + WILL ('LL) + VERBO

Con qualsiasi *blue block* la struttura è la stessa.

Per la forma negativa si aggiunge **not** a **will**; si ottiene **WILL NOT**. Ovviamente anche questo si può contrarre: **WON'T**. Fai attenzione alla pronuncia, potresti rischiare di dire "volere" (*want*) al posto di *won't*. Anche la forma negativa rimane invariata per tutte le persone.
He won't meet her. (Non la incontrerà.)
They won't leave me here. (Non mi lasceranno qui.)
Per ottenere la forma interrogativa del *Future Simple* è sufficiente partire dalla frase affermativa e invertire il *blue block* e il mattoncino *will*. Così:

È uguale per tutte le persone.
Will I play? / Will you play? / Will he/she/it play? / Will we play? / Will you play? Will they play?
Devi sapere che nelle domande, *will* è comunemente utilizzato anche come forma di cortesia, si dà all'altro una possibilità di scelta. In italiano questo tipo di domanda si può tradurre con il Condizionale.
Will you pass me the ketchup, please? (Mi passeresti il ketchup per favore?)
Anche per il Future Simple ci sono delle *short answers*.
Yes, I will se vuoi rispondere sì. **No, I won't** se vuoi rispondere no.

EXERCISE "IN THE SHED" 9

1. Ti prenoterò (*book*) due biglietti per Miami.

   ....

2. Lei ti bacerà dopo cena.

   ....

3. Lei si innamorerà di (*fall in love with*) te.

   ....

4. Tu vivrai con lei e il suo gatto.

   ....

5. Tu piacerai al suo gatto.

6. Io non ti prenoterò due biglietti per Miami.

7. Lei non si innamorerà di te.

8. Tu non mi perdonerai (*forgive*).

9. Non giocheremo più (*anymore, alla fine della frase*) a calcio di domenica.

10. Non andremo più al bowling.

11. Mi dirai il tuo segreto (*secret*)?

12. Lei correrà nel parco con lui?

13. L'Inter vincerà la Mitropa cup?

14. Andrò mai a Miami?

15. Ti taglierai i capelli?

11 GET, TAKE, BRING

Con questi tre verbi a volte si fa un po' di confusione perché **TAKE** vuol dire sia "prendere" sia "portare". **BRING** vuol dire "portare" e anche **GET** significa "prendere": quindi ora vediamo le differenze a seconda delle situazioni.

Partiamo dall'italiano: **PRENDERE (take, get)**.

Se l'oggetto da prendere è presente, È QUI nel luogo in cui ti trovi, devi utilizzare **TAKE**. Se NON È QUI, ma si trova da un'altra parte, devi utilizzare **GET**.

Can I have some ketchup, please? (Posso avere del ketchup, per favore?)

La bottiglietta di ketchup è qui sul tavolo, si trova dove stiamo parlando.

Yes, take it. (Sì, prendilo.)

Can I have some cheese, please? (Posso avere del formaggio, per favore?)

Il formaggio è in cucina, non è nello stesso posto in cui siamo noi.

Yes, get it from the kitchen. (Sì, prendilo dalla cucina.)

Adesso guardiamo l'altro verbo: **PORTARE (take, bring)**.

Se si parla di portare un oggetto (o una persona) tra chi parla e chi ascolta, devi utilizzare **BRING**.

Can I bring my friend with me tonight? (Posso portare il mio amico con me stasera?) – **Sure! Bring a bottle of red wine too, please.** (Certo! Porta anche una bottiglia di vino rosso, per favore.)

Se invece si intende portare via, portare un oggetto o una persona lontano da chi sta parlando, devi utilizzare **TAKE**. Per memorizzarlo, pensa al *take-away*.

I'm taking my friend to Verbania. (Sto portando il mio amico a Verbania.)

EXERCISE "IN THE SHED" 10

1. Puoi prendere il suo (*di lui*) telefono dalla cucina, per favore?

   ....

2. Posso prendere la tua macchina? (*Macchina presente*)

   ....

3. Puoi prendere della frutta al supermercato, per favore?

   ....

4. Posso prenderti qualcosa quando vado in vacanza?

....

5. Hai freddo? Puoi prendere il mio cappotto.

....

6. Puoi portare queste persone (*people*) a Verbania, per favore?

....

7. Mi puoi portare in aeroporto (*airport*) alle 3 del mattino, per favore?

....

8. Portami con te all'Oktoberfest quest'anno.

....

9. Non portare tua suocera con te questa sera.

....

10. Portami sulla luna (*to the moon*) con te.

....

12 PAST SIMPLE

Si usa il *Past Simple* per esprimere un'azione che è iniziata e si è conclusa nel passato e non ha più nessun rapporto con il presente. Non sempre è importante dire esattamente quando è successa, sei tu a stabilire quanto sia importante collocarla in un punto preciso del passato. Questo tempo verbale traduce l'italiano Imperfetto e Passato Remoto. Iniziamo a vedere il *Past Simple* del verbo **TO BE** perché è uno dei verbi più importanti in assoluto ed è l'unico verbo che al passato cambia in base alla persona. Tutti gli altri verbi rimangono invariati per tutte le persone *(I, you, he, she, it, we, you, they)*.

Affermativa	Negativa	Contratta	Interrogativa	Neg. Int.
I was	I was not	I wasn't	Was I ... ?	Wasn't I ... ?
You were	You were not	You weren't	Were you ... ?	Weren't you ... ?
He was	He was not	He wasn't	Was he ... ?	Wasn't he ... ?
She was	She was not	She wasn't	Was she ... ?	Wasn't she ... ?
It was	It was not	It wasn't	Was it ... ?	Wasn't it ... ?
We were	We were not	We weren't	Were we ... ?	Weren't we ... ?
You were	You were not	You weren't	Were you ... ?	Weren't you ... ?
They were	They were not	They weren't	Were they ... ?	Weren't they ... ?

Come vedi, la prima e la terza persona singolare (*I, he, she, it*) sono uguali tra loro, **WAS**; tutte le altre persone usano **WERE**. Per la forma affermativa non esiste una forma contratta.
I was at work. (Ero al lavoro.)
They were at work too. (Anche loro erano al lavoro.)
She wasn't with us. (Lei non era con noi.)
Nelle *short answers*, le risposte brevi, dopo *yes* oppure *no* si usa sempre il pronome personale; la forma contratta si usa solo nelle negazioni.
Were you with him? (Eri con lui?)
Yes, I was. / No, I wasn't. (Sì. / No.)

EXERCISE "IN THE SHED" 11

1. Tu eri con lui a casa sua.

   ....

2. Lei non era con te perché era con Rocco in Canada.

   ....

3. Loro erano con voi? – No, erano con Rocco.

   ....

4. Lei non era con Rocco in Canada, era al ristorante.

   ....

5. Ma non era in Canada?

6. No. Lo so perché io ero di fronte a lei al bar.

7. Rocco era dietro di noi.

8. Loro erano al ristorante senza soldi.

9. Non capisco (*understand*), lei era a casa sua (*di lui*)?!

10. Non lo so, c'erano tante persone.

Ora sei pronto a vedere il *Past Simple* di tutti gli altri verbi. Si suddividono tra verbi regolari e irregolari.
I **verbi regolari** sono tutti quei verbi ai quali si aggiunge il suffisso **-ED** per ottenere la forma passata. Invece i **verbi irregolari** non hanno un sistema e nemmeno una logica e purtroppo bisogna solo studiarli e impararli a memoria!
Per iniziare guardiamo un verbo regolare: **WANT** (volere).
Base form: want (esempio: I want = io voglio)
Past Simple: wanted (esempio: I wanted = io volevo / volli)
Past Participle: wanted = voluto
Want – Wanted – Wanted è il paradigma (che io chiamo "catena") del verbo.
Ci sono alcune norme da seguire per aggiungere -ED ai verbi regolari. Eccole:
• Se un verbo termina per E, aggiungi solo -D.
Love – Loved
• Se un verbo è composto di una sola sillaba e termina per consonante preceduta da una sola vocale, la consonante raddoppia e aggiungi -ED.
Stop – Stopped

• Se un verbo è composto di una sola sillaba e termina per consonante preceduta da vocale accentata, la consonante raddoppia e aggiungi -ED.

Prefer – Preferred

• Se un verbo termina per L preceduta da una sola vocale, raddoppia la L e aggiungi -ED.

Travel – Travelled

• Se un verbo termina per Y preceduta da consonante, togli la Y e aggiungi -IED.

Study – Studied

Se la Y è preceduta da una vocale, aggiungi -ED.

Play – Played

Per quanto riguarda i verbi irregolari, come ti dicevo non si può fare altro che impararli a memoria. Ne puoi trovare un elenco alla fine del libro; vedrai una tabella con quattro colonne, quella che ci interessa per il *Simple Past* è quella scritta in rosso. Attenzione! Molti italiani fanno l'errore di tradurre male dall'italiano all'inglese i tempi passati, confondendo il *Past Simple* con il *Past Perfect*. Sono due tempi verbali diversi ma spesso chi studia l'inglese tende a tradurre letteralmente e spesso sbaglia. Ti faccio un esempio:

"Ieri ho giocato a calcio" si dice **Yesterday I played football**. Qualcuno sbagliando potrebbe tradurre con *Yesterday I have played football*. Basta che pensi al tipo di azioni espresse dal *Past Simple*: **azioni iniziate e finite nel passato che non hanno alcun legame con il presente**. *Easy!*

Dato che in inglese il *Past* è *Simple* come il *Present*, è facile intuire che la costruzione delle frasi interrogative, negative e delle *short answers* è uguale. La differenza è solo nella *gold word* che usiamo. Se nel presente si usa **DO**, al passato useremo il passato di *do* (che è irregolare), cioè **DID**.

La sua catena è **DO – DID – DONE**. La costruzione di queste frasi è uguale sia per i verbi regolari sia per quelli irregolari e rimane invariata per tutte le persone (quindi non dovrai più preoccuparti di stare attento alla terza persona singolare). *Now look!*

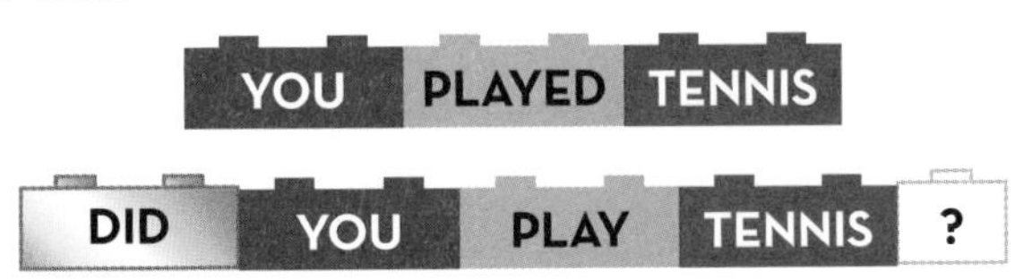

You played tennis. (Giocavi a tennis.)
Did you play tennis? (Giocavi a tennis?)
È importante osservare che nella frase interrogativa il verbo torna alla sua forma base (da *played* a *play*); in automatico arriva il punto di domanda alla fine.
Per la forma interrogativa usiamo **DID** e **NOT**, che possiamo comprimere e otteniamo **DIDN'T**.

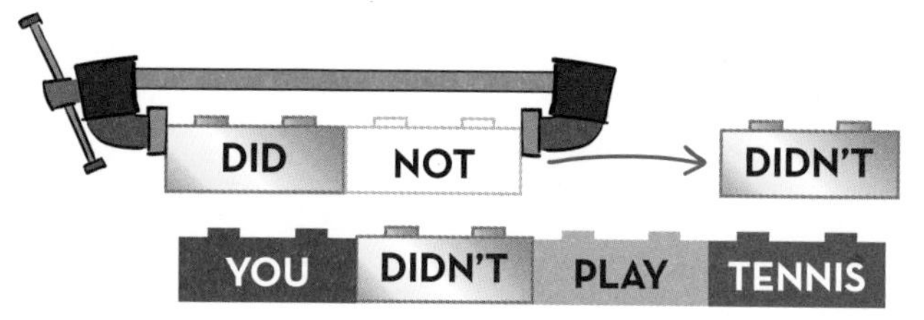

Per la forma negativa interrogativa basta invertire il *blue block* e *didn't*, si aggiunge il punto di domanda in fondo e si ottiene:

Come si risponde? Con le *short answers*, ovviamente.

Ora ti insegno qualcosa che nessuno insegna in Italia. Ti mostro come parlare da inglese e non da turista. Utilizzare troppe parole in inglese è un errore, un buon inglese è "economico", conciso.
Immaginiamo che ieri sera sei uscito, hai bevuto una birra, hai ballato poi sei andato a casa. Un Italiano con brutte abitudini (linguistiche) direbbe:
I went out and then I drank a beer and then I danced and then I went home.
LUNGO, troppo LUNGO! Un Inglese risponderebbe così:
I went out, drank a beer, danced and / then went home.
Se il soggetto della frase è uguale per tutte le azioni, non ripeterlo inutilmente, basta indicarlo all'inizio, separare i vari pezzi della frase con una virgola e aggiungere *and* (e) oppure *then* (poi) prima dell'ultima azione espressa.

Adesso ti faccio tradurre delle frasi. Ti lascio a portata di mano un elenco dei verbi e il relativo passato che ti serviranno per completare l'esercizio. Quando hai finito vai a controllare le soluzioni. *Ok, ready?*
Ask (chiedere) – **Asked**
Get (cambio di stato) – **Got**
Go (andare) – **Went**
Have (avere) – **Had**
Kiss (baciare) – **Kissed**
Like (piacere) – **Liked**
Meet (incontrare) – **Met**
Take (portare) – **Took**

EXERCISE "IN THE SHED" 12

1. Ieri sono uscito, mi sono divertito e poi sono andato a casa.

    ....

2. Ieri ho portato mia figlia a scuola e poi sono andato a mangiare qualcosa.

    ....

3. La settimana scorsa ho fatto una festa con i miei amici.

    ....

4. L'estate scorsa Marco ha incontrato Piera e si sono sposati.

    ....

5. Due ore fa Piera ha baciato un uomo e le è piaciuto.

    ....

6. Lui è andato a dormire tardissimo ieri e oggi si è alzato alle 11.00.

    ....

7. Loro le hanno chiesto di uscire con loro.

    ....

8. Questa mattina ho fatto la spesa.

    ....

9. L'inverno scorso sono andati in vacanza a Miami.

....

10. La settimana scorsa sono andati in spiaggia.

....

11. Ieri non sono andato a lavorare.

....

12. Non ti ho incontrato settimana scorsa al parco.

....

13. Ieri non ho mangiato con loro.

....

14. Non mi è piaciuto il film.

....

15. Piero non si è sposato l'anno scorso.

....

13 PAST CONTINUOUS

Il *Past Continuous* è il corrispettivo del *Present Continuous* ma esprime azioni avvenute nel passato e ne ha la stessa struttura in tutte le forme: affermativa, negativa, interrogativa, negativa interrogativa. L'unica cosa che cambia è che il verbo *to be* è al *Past Simple*.

Guarda questi esempi che mettono a confronto i due tempi:

Present:	**I am making a cake.**	Sto facendo una torta.
Past:	**I was making a cake.**	Stavo facendo una torta.
Present:	**Is he drinking water?**	Sta bevendo acqua?
Past:	**Was he drinking water?**	Stava bevendo acqua?
Present:	**I am not cutting the grass.**	Non sto tagliando l'erba.
Past:	**I wasn't cutting the grass.**	Non stavo tagliando l'erba.

Spesso il *Past Continuous* si usa per raccontare qualcosa, per fornire più dettagli sulla situazione di cui si sta parlando. Traduce il gerundio passato (stava bevendo, stava tagliando). Spesso si usa per raccontare che un'azione prolungata nel passato (in *Past Continuous*) è stata interrotta da un'altra azione (in *Past Simple*). In quei casi si usano queste parole: **WHILE** = mentre. Precede il Past Continuous. Oppure **WHEN** = quando. Precede il Past Simple.

I was watching TV when you called me. (Stavo guardando la TV quando mi hai chiamato.)

While I was writing, the light went out. (Mentre stavo scrivendo, la luce si è spenta.)

When the phone rang, she was writing an email. (Quando è suonato il telefono, lei stava scrivendo un'email.)

While we were having a picnic, it started to rain. (Mentre facevamo un picnic, incominciò a piovere.)

E adesso, altre traduzioni e altri verbi regalo.

Break (rompere) – **Broke**
Die (morire) – **Died**
Eat (mangiare) – **Ate**
Fall (cadere) – **Fell**
Love (amare) – **Loved**
Ring (squillare) – **Rang**
See (vedere) – **Saw**
Sing (cantare) – **Sang**
Sleep (dormire) – **Slept**
Tell (dire) – **Told**
Watch (guardare) – **Watched**

EXERCISE "IN THE SHED" 13

1. Mentre lui stava dormendo la notte scorsa, qualcuno prese la sua (*di lui*) auto.

   ....

2. Mentre scrivevo un'email, il mio computer è morto.

   ....

3. Stavo mangiando quando mi hai chiamato.

....

4. Cosa stavi facendo quando ti sei rotto la gamba (*leg*)?

....

5. Lui stava parlando con una donna quando sua moglie lo ha chiamato.

....

6. Cosa stavi facendo quando sei caduto sul pavimento?

....

7. Lei stava mettendo il bambino a letto quando il telefono squillò.

....

8. Carlo stava cantando al karaoke quando siamo arrivati là.

....

9. Mentre lui dormiva lei gli ha detto che lo amava.

....

10. Stavo guardando un film horror quando si sono spente (*go out*) le luci (*lights*).

....

14 CAN, COULD, WILL BE ABLE TO

Il verbo **CAN** appartiene alla categoria dei verbi modali; nella costruzione dei tempi verbali, come il verbo *to be* non ha bisogno della *gold word DO* o *DID*. Rimane invariato per tutte le persone e i verbi che lo seguono non sono preceduti da alcuna preposizione ma sono sempre alla forma base.

Presente:	**CAN**	**I can drive.** (Posso guidare.)
Passato:	**COULD**	**I could drive.** (Potevo guidare.)
Futuro:	**WILL BE ABLE TO**	**I will be able to drive.** (Potrò guidare.)

Le sue forme negative contratte sono :

Presente:	I, you, he, she, it, we, you, they	**cannot / can't**
Passato:	I, you, he, she, it, we, you, they	**could not / couldn't**
Futuro:	I, you, he, she, it, we, you, they	**will not / won't be able to**

I can't fly. (Non so volare.)
She couldn't go out every night. (Non poteva uscire tutte le sere.)
You won't be able to touch the ceiling. (Tu non riuscirai a toccare il soffitto.)
Per la forma interrogativa si comporta come *to be*, quindi basta invertire soggetto e verbo: **can I sing?** (Posso cantare?)
Ed ecco anche le *short answers*, per rispondere:

Presente:	**Yes, I can. / No, I can't.**
Passato:	**Yes, I could. / No, I couldn't.**
Futuro:	**Yes, I will. / No, I won't.**

Il verbo **can** si traduce con "potere, riuscire, sapere", ma il suo significato ha diverse sfaccettature. Vediamole insieme:
1 Avere il permesso, avere l'autorità di fare qualcosa.
I can go to the bathroom. (Ho il permesso del padrone di casa, per fortuna!)
Brad Pitt can kiss Angelina Jolie. (Ha il permesso di farlo, è suo marito.)
I couldn't go to the disco when I was young. (Non potevo andare in discoteca quando ero giovane.)
My son will be able to drive when he gets his driving licence. (Mio figlio avrà il permesso di guidare quando avrà la patente.)
2 Riuscire, essere in grado di fare qualcosa.
I can reach you at noon. Will you be there? (Riesco a raggiungerti a mezzogiorno, ci sarai?)
I could swim like a dolphin many years ago. (Riuscivo a nuotare come un delfino molti anni fa.)
You will be able to see me better after you put your glasses on. (Sarai in grado di vedermi meglio dopo che avrai indossato gli occhiali.)
3 Avere la capacità di, saper fare qualcosa.
I can speak Chinese, but only when I am drunk. (So parlare cinese ma solo quando sono ubriaco.)
I can play the piano. (So suonare il pianoforte.)

I can swim. (So nuotare.)
4 Could come possibilità.
I could be at home now. (Potrei essere a casa adesso.)
I could marry Sharon Stone. (Potrei sposare Sharon Stone.)
She could eat a pizza with you tomorrow. (Lei potrebbe mangiare una pizza con te domani.)
5 Could come suggerimento.
You could change your job. (Potresti cambiare lavoro.)
6 Could come richiesta educata.
Could I have something to drink, please? (Posso avere qualcosa da bere, per favore?)
Could you help me change the wheel, please? (Potresti aiutarmi a cambiare la ruota, per favore?)

EXERCISE "IN THE SHED" 14

1. Posso mangiare il tuo pranzo? – No non puoi. È il mio.

   ....

2. Lei non può venire con noi alla festa. Sua mamma non glielo permetterà (*allow*).

   ....

3. Puoi smettere di cantare (*singing*)?

   ....

4. Possiamo parlare se non salti come una scimmia.

   ....

5. Potresti bere un caffè con me.

   ....

6. Potresti leggere un libro.

   ....

7. Potresti portarmi con te, per favore?

   ....

8. Potresti prestargli (*lend*) dei soldi, per favore? Io non ne ho.

   ....

9. Potresti fare questo per me, per favore?

   ....

10. Potresti dirle che lui la ama?

    ....

15 IF

IF traduce l'italiano "se" e introduce l'incertezza, l'ipotesi e la possibilità.
1 Possibilità reale: il primo *IF* riguarda le possibilità vere e reali.
Se ottiene quel lavoro, guadagnerà tanti soldi. C'è una concreta possibilità che il soggetto riesca a ottenere quel lavoro. Se lo ottiene è certo che guadagnerà un sacco di soldi.
If he gets that job, he will earn a lot of money.
Immagina di dividere a metà questa frase dove c'è la virgola; guardiamo le due parti di cui è costituita l'intera frase ipotetica.
Nella prima metà, quella che inizia con *IF*, c'è il *Simple Present*.
Nella seconda metà, c'è il *Future Simple*.
Questa è la regola:
IF + SIMPLE PRESENT, FUTURE SIMPLE
2 Ipotesi pura: il secondo *IF* non riguarda una realtà specifica, ma un'ipotesi vera e propria.
Se mi arrivassero tanti soldi, andrei a Miami. In questo caso non c'è una reale possibilità, ma semplicemente il soggetto esprime un desiderio, una cosa che vorrebbe tanto fare.
If a lot of money arrived, I would go to Miami.
Adesso guardiamo la frase, ancora dividendola a metà.
Nella prima metà, quella che inizia con *IF*, c'è il *Past Simple*.

Nella seconda metà, c'è il condizionale, introdotto da **WOULD**. Se consideri *would* come passato di *will*, sarà molto più semplice.
Sottolineo una eccezione alle regole che riguarda il verbo *to be*.
Si dice **IF I WERE** e non *IF I WAS* per dire "se fossi".
If I were you, I would stay at home. (Se fossi in te, starei a casa.)
If I were Italian, I would open a restaurant. (Se fossi italiano, aprirei un ristorante.)

Ora prova a tradurre. Ti regalo altri verbi:
Forget (dimenticare) – **Forgot**
Come (venire) – **Came**
Give (dare) – **Gave**

EXERCISE "IN THE SHED" 15

1. Se non trovo la mia macchina, andrò in bici.

 ...

2. Se nevica questo weekend, sarò felice a casa davanti alla TV.

 ...

3. Se lui non la chiama, avrà molti problemi *(problems)*.

 ...

4. Se loro vanno con loro, tu sarai molto felice.

 ...

5. Se sono da solo (*alone*), andrò con loro.

 ...

6. Se vivessi in Cina, mangerei riso (*rice*) tutti i giorni.

 ...

7. Se lui dimenticasse il vostro anniversario, ti arrabbieresti?

 ...

8. Se loro venissero a cena con noi, si divertirebbero.

....

9. Se incontrassi Brad Pitt o Sharon Stone, lo diresti a tua mamma?

....

10. Mi daresti la tua Ferrari se io ti dessi la mia Vespa?

....

16 WATCH VS LOOK

Conosci la differenza tra **to watch**, che significa osservare, e **to look (at)**, che vuol dire guardare? Sembrano molto simili, ma questa è la differenza: *to watch* significa osservare qualcuno o qualcosa in azione, mentre fa qualcosa. Invece *to look (at)* significa guardare l'aspetto esteriore di qualcosa o qualcuno.
TO WATCH quindi significa osservare qualcuno o qualcosa in movimento che fa qualcosa, per esempio:
You watch the TV. (Guardi la televisione.)
You watch a show. (Guardi uno spettacolo.)
Invece **TO LOOK (AT)** significa guardare l'aspetto di qualcosa o qualcuno.
Al verbo *LOOK* aggiungo una freccia ⟶ per indicare la direzione in cui devi guardare, per esempio:
YOU LOOK ⟶ **AT ME** = Tu mi guardi (il mio aspetto esteriore).
YOU LOOK ⟶ **AT THAT TREE** = Tu guardi quell'albero (magari perché è bello o brutto, comunque è interessante).

17 SAY VS TELL

Se non sai il significato di una parola puoi sempre chiederlo, così:
What does X mean? (Cosa significa X?)
What does "tavolo" mean? It means "table".
(Cosa significa "tavolo"? Significa "table".)
What does "say" mean? It means "dire". (Cosa significa "say"? Significa "dire".)
What does "tell" mean? It means "dire". (Cosa significa "tell"? Significa "dire".)

SAY significa "dire" a due vie, io dico a te, tu dici a me, poi io dico ancora a te, poi tu mi rispondi e così via.
Dopo il verbo *say* devi mettere la preposizione **TO** se vuoi indicare a chi quella persona sta parlando.
I say to you and you say to me. (Io dico a te e tu dici a me.)

TELL significa "dire, informare, comunicare, raccontare" a una via.
Dopo il verbo *tell* devi mettere il pronome personale complemento se vuoi indicare a chi quella persona sta parlando.
I tell you that I love you. (Io ti dico che ti amo.)

Guarda la differenza di utilizzo:
She says that I'm crazy. (Lei dice che sono pazzo.)
I told her that she is crazy. (Io le dico che lei è pazza.)

EXERCISE "IN THE SHED" 16

1. Ti dico l'ora. (Ti informo.)

   ....

2. Tu mi hai detto che eri triste.

   ....

3. Lei dice sempre che è stanca. (Lei comunica.)

   ....

4. Lui mi dice sempre che non ha mai tempo. (Lui mi informa.)

   ....

5. Lui mente (*lie*) spesso.

   ....

SOLUTIONS "IN THE SHED"

ESERCIZIO 1

1 My wife is worse than his.
2 My car is better than hers.
3 His car is worse than mine.
4 Their job is better than yours.
5 Your boss is worse than ours.
6 You are the worst.
7 They are the best.
8 He is the worst. We are better than him.
9 My school is the best.
10 Scotland has the worst food in the world.

ESERCIZIO 2

1 She gives him a kiss.
2 He buys her some biscuits.
3 She cooks him two steaks.
4 Tell us the truth.
5 Look at her, she is angry.
6 She wants your love.
7 Teach me how to love.
8 Ask her to marry you.
9 Buy her a ring.
10 Cook me a chicken.

ESERCIZIO 3

1 She makes me happy when I make her laugh.
2 She makes me do all the shopping.
3 We do our homework every day.
4 She does the housework every day.
5 They have a lot of parties because they don't work.

ESERCIZIO 4

1 What do you usually eat?
2 What's his name?
3 When do you go to sleep?
4 Why do you love me?
5 What does she do?
6 Where do you usually go on holiday?
7 Who do you live with?
8 How do you usually get here? – By plane.
9 Where and what do you usually eat for lunch?
10 Who is that man?
11 Where do you come from?
12 Why don't you ever go on holiday?
13 Where is your coat?
14 How do you know her?
15 Why do you always kiss me?
16 Where is your money?
17 When is your birthday?
18 What do you usually do on Sundays?
19 When and why?
20 Who do you work with?
21 When does she usually get angry?
22 Who does she want? Me or him?
23 Who does the cleaning in that house?
24 What does he usually drink?
25 Why don't you hate me?
26 How do you like your pizza?
27 When do they usually go on holiday?
28 How is your grandfather?
29 How far is your house from your work?
30 Why do you always give him so much time?

ESERCIZIO 5

1. How much is that car?
2. How many children do you have?
3. How many blue shirts have you got?
4. How much do you love me?
5. How much sugar would you like?
6. How many sheep are there?
7. How many times do I have to tell you?
8. How many times a month do you go to the cinema?
9. Which car is yours?
10. What is your favourite colour?
11. Which job do you want to do, teacher or doctor?
12. Which book does she want to read?
13. Which animal do you want?
14. Which singer do you prefer, Bono or Vasco?
15. What time is it?

ESERCIZIO 6

1. You must lose weight.
2. He is as fat as a pig, but I like him.
3. I love you as a friend.
4. You have to go to work, it's late!
5. She speaks like a parrot.

ESERCIZIO 7

1. What are you doing? – I'm working, where do you think I am?
2. What is your husband doing? – He's running in the park.
3. What is grandad doing? – He's sitting on the sofa.
4. She's cooking, he's watching TV and the dog is barking.
5. What are they doing at work? – He's sleeping and she's speaking.
6. Guglielmo is reading a book by Stephen King.
7. Gianni and Pinotto are working a lot.
8. Silvio is selling his old house.

9 Elvira is studying English.
10 Peter is writing a book.
11 On Monday afternoon at five o'clock he's playing football with his friends.
12 On Tuesday at nine o'clock he's eating a pizza with Teresa.
13 On Saturday evening he's drinking a beer with me.
14 On Sunday afternoon he's sleeping on the sofa.
15 On Sunday night he's watching a film at home and then he's going to sleep.

ESERCIZIO 8

1 I'm going to Miami.
2 My son is going to become a singer.
3 Are you going to watch the show?
4 I'm not going to watch the match with him.
5 She is going to his house and he is going to her house.
6 We are going to see New York.
7 I'm not going to lose my money at the casino.
8 Are you going to relax?
9 Are you going to kiss me, one day?
10 I'm going to cut my hair, but I don't know when.

ESERCIZIO 9

1 I'll book you two tickets for Miami.
2 She'll kiss you after dinner.
3 She'll fall in love with you.
4 You'll live with her and her cat.
5 His/Her cat will like you.
6 I won't book you two tickets for Miami.
7 She won't fall in love with you.
8 You won't forgive me.
9 We won't play football on Sundays anymore.
10 We won't go to the bowling anymore.
11 Will you tell me your secret?
12 Will she run in the park with him?

13 Will Inter win the Mitropa cup?
14 Will I ever go to Miami?
15 Will you cut your hair?

ESERCIZIO 10

1 Can you get his phone from the kitchen, please?
2 Can I take your car?
3 Can you get some fruit at the supermarket, please?
4 Can I get you something when I go on holiday?
5 Are you cold? You can take my coat.
6 Can you take these people to Verbania, please?
7 Can you take me to the airport at 3 o'clock in the morning please?
8 Take me with you to the Oktoberfest this year.
9 Don't bring your mother-in-law with you tonight.
10 Take me to the moon with you.

ESERCIZIO 11

1 You were with him at his house.
2 She wasn't with you because she was with Rocco in Canada.
3 Were they with you? – No, they weren't. They were with Rocco.
4 She wasn't with Rocco in Canada, she was at the restaurant.
5 But wasn't she in Canada?
6 No, she wasn't. I know because I was in front of her at the bar.
7 Rocco was behind us.
8 They were at the restaurant with no money.
9 I don't understand, was she at his house?!
10 I don't know, there were many / a lot of / lots of people.

ESERCIZIO 12

1 Yesterday I went out, had fun and then went home.
2 Yesterday I took my daughter to school and then went to eat something.
3 Last week I had a party with my friends.
4 Last summer Marco met Piera and they got married.

5 Two hours ago Piera kissed a man and she liked it.
6 He went to sleep really late yesterday and today he got up at 11.00.
7 They asked her to go out with them.
8 This morning I went shopping.
9 Last winter they went on holiday in Miami.
10 Last week they went to the beach.
11 Yesterday I didn't go to work.
12 I didn't meet you last week in the park.
13 Yesterday I didn't eat with them.
14 I didn't like the film.
15 Piero didn't get married last year.

ESERCIZIO 13

1 While he was sleeping last night, someone took his car.
2 While I was writing an email, my computer died.
3 I was eating when you called me.
4 What were you doing when you broke your leg?
5 He was talking with (oppure to) a woman when his wife called him.
6 What were you doing when you fell on the floor?
7 She was putting the baby to bed when the phone rang.
8 Carlo was singing at the karaoke when we got there.
9 While he was sleeping she told him that she loved him.
10 I was watching a horror film when the lights went out.

ESERCIZIO 14

1 Can I eat your lunch? – No, you can't. It's mine.
2 She can't come with us to the party. Her mother won't allow her.
3 Can you stop singing?
4 We can speak if you don't jump like a monkey.
5 You could drink a coffee with me.
6 You could read a book.
7 Could you take me with you, please?
8 Could you lend him some money, please? I haven't got any.

9 Could you do this for me, please?
10 Could you tell her that he loves her?

ESERCIZIO 15

1 If I can't find my car, I'll go by bike.
2 If it snows this weekend, I'll be happy at home in front of the TV.
3 If he doesn't call her, he'll have many problems.
4 If they go with them, you'll be very happy.
5 If I am alone, I'll go with them.
6 If I lived in China, I would eat rice every day.
7 If he forgot your anniversary, would you get angry?
8 If they came with us to dinner, they would have fun.
9 If you met Brad Pitt or Sharon Stone, would you tell your mum?
10 Would you give me your Ferrari if I gave you my Vespa?

ESERCIZIO 16

1 I tell you the time.
2 You said that you were sad.
3 She always says that she's tired.
4 He always tells me that he never has time.
5 He often lies.

EXTRA ED ECCEZIONI

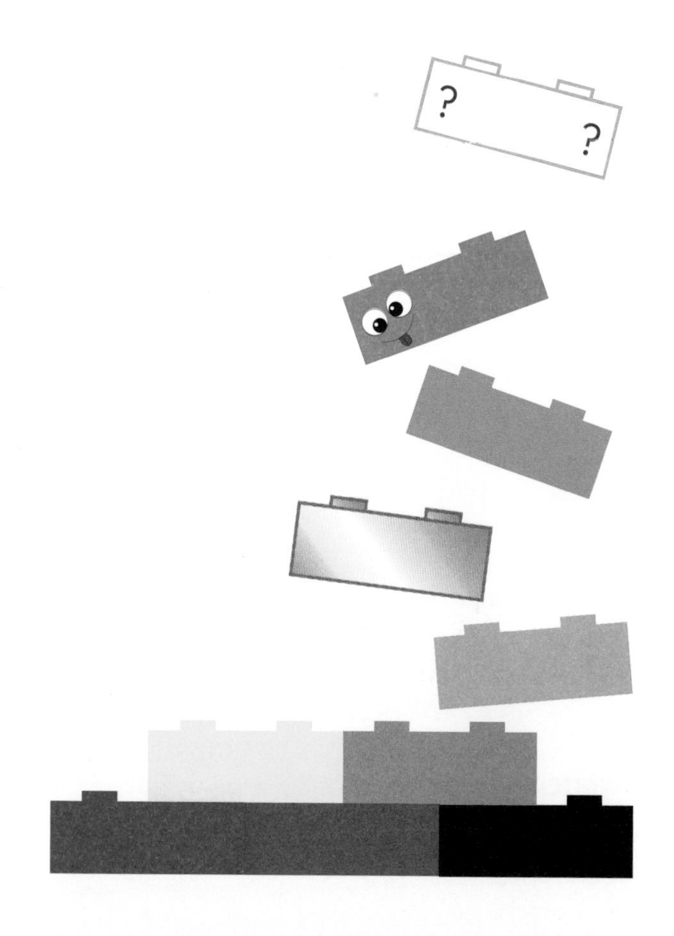

BLOCK TWO

(1) MOODS

STATI D'ANIMO

ANXIOUS = ansioso
CALM = calmo
CHEERFUL = gioioso
COCKY = presuntuoso
DISAPPOINTED = deluso
EMBARRASSED = imbarazzato
ENVIOUS = invidioso
JEALOUS = geloso
NERVOUS = agitato
QUIET = tranquillo
RELAXED = rilassato
SHOCKED = scioccato
STRESSED = stressato
SURPRISED = sorpreso
UPSET = sconvolto
WORRIED = preoccupato

BLOCK TWO

(2) COURTESY

EDUCAZIONE

PLEASE = per favore
THANK YOU = grazie
THANKS = grazie
YOU'RE WELCOME = prego (risposta a qualcuno che ti ringrazia)
(I'M) SORRY = mi dispiace, oppure per richiamare l'attenzione di qualcuno
EXCUSE ME = scusa (quando vuoi richiamare l'attenzione)
PARDON = scusa (quando ti scusi per qualcosa)

BLOCK THREE

(3) OCCUPATIONS

OCCUPAZIONI

COOK = cuoco
DENTIST = dentista
DOCTOR = dottore
DOSSER = fancazzista
HAIRDRESSER = parrucchiere
HOUSEWIFE = casalinga
MECHANIC = meccanico
MOTHER = madre, il lavoro più difficile di tutti
POLICEMAN = poliziotto
STUDENT = studente
TEACHER = insegnante

BLOCK THREE

(4) THE WEATHER

TEMPO METEOROLOGICO

IT'S RAINING = sta piovendo
IT'S SNOWING = sta nevicando
IT'S FOGGY = c'è nebbia
IT'S CLOUDY = è nuvoloso
IT'S FREEZING = fa freddissimo

BLOCK THREE

(5) PHYSICAL APPEARANCE

ASPETTO FISICO

ATTRACTIVE = attraente (unisex)
BEAUTIFUL = bella (solo per le donne)

CORPULENT = corpulento
HANDSOME = bello (solo per gli uomini)
NARROW = stretto
OBESE = obeso
SKINNY = magrissimo
WIDE = largo, ampio
STRONG = forte
UGLY = brutto
WEAK = debole

BLOCK FOUR

(6) VERB TO BE – NEGATIVE INTERROGATIVE

VERBO ESSERE – INTERROGATIVA NEGATIVA

Struttura della frase:

TO BE	NOT	PRON.	...	?

AM I NOT ... ?	=	Non sono io ... ?
AREN'T YOU ... ?	=	Non sei tu ... ?
ISN'T HE ... ?	=	Non è egli ... ?
ISN'T SHE ... ?	=	Non è ella ... ?
ISN'T IT ... ?	=	Non è esso/a ... ?
AREN'T WE ... ?	=	Non siamo noi ... ?
AREN'T YOU ... ?	=	Non siete voi ... ?
AREN'T THEY ... ?	=	Non sono essi ... ?

Esempi:
AREN'T YOU ENGLISH? (Non sei inglese?)
ISN'T IT COLD? (Non fa freddo?)
ISN'T SHE FIONA? (Non è Fiona?)

BLOCK FOUR

(7) NATIONALITIES

NAZIONALITÀ

BRITISH = britannico
ENGLISH = inglese *(from England)*
SCOTTISH = scozzese *(from Scotland)*
WELSH = gallese *(from Wales)*
NORTHERN IRISH = nordirlandese *(from Northern Ireland)*
IRISH = irlandese *(from Ireland)*
CANADIAN = canadese *(from Canada)*
AUSTRALIAN = australiano *(from Australia)*
DUTCH = olandese *(from Holland)*
SWISS = svizzero *(from Switzerland)*
AUSTRIAN = austriaco *(from Austria)*
PORTUGUESE = portoghese *(from Portugal)*
GREEK = greco *(from Greece)*

SFATIAMO IL MITO!

Cosa significa **inglese**? Cos'è il **Regno Unito**? Che differenza c'è fra **United Kingdom** e **Great Britain**? Qual è la **bandiera** inglese? Ora ti spiego...

Differenza tra Great Britain e United Kingdom
UK = United Kingdom of Great Britain and Northern Ireland
UNITED KINGDOM = a Country of Countries (un Paese di Paesi) formato da:
England + Scotland + Wales + Northern Ireland
English, Scottish, Welsh and Northern Irish are all British Citizens of the United Kingdom (inglesi, scozzesi, gallesi e nordirlandesi sono tutti cittadini britannici del Regno Unito)
GREAT BRITAIN = Definizione geografica dell'isola (England + Scotland + Wales)
IRELAND = Definizione geografica dell'isola (Northern Ireland + Republic of Ireland)

THE BRITISH ISLES = Great Britain + Ireland

FLAG = bandiera
UNION JACK FLAG = English flag + Scottish flag + Northern Irish flag

Bandiera d'Inghilterra
(Croce di san Giorgio)

Bandiera di Scozia
(Croce di sant'Andrea)

Bandiera d'Irlanda
(Croce di san Patrizio)

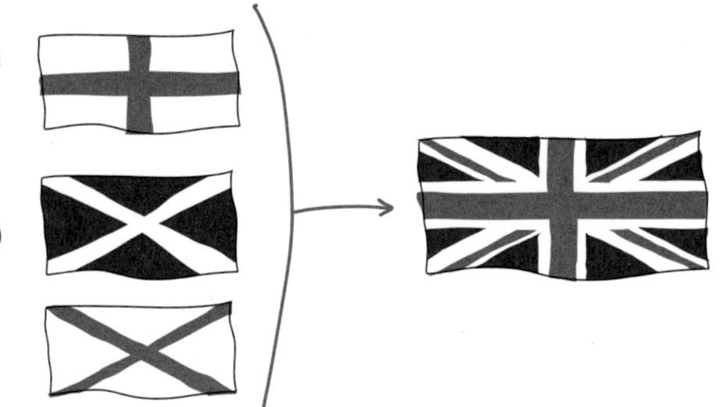

BLOCK FOUR

(8) NUMBERS

NUMERI

Adesso che hai imparato i numeri fino a 20 vedrai quanto è semplice conoscere tutti gli altri. Si tratta solo di imparare le decine e poi combinarle con i numeri da 1 a 9. Mi raccomando, stai molto attento a come li pronunci perché alcuni numeri sono molto simili tra loro. Ascolta bene il file audio ed esercitati!

20 = **TWENTY**
21 = **TWENTY-ONE**
22 = **TWENTY-TWO**
23 = **TWENTY-THREE**
e così via. Per tutti gli altri numeri si fa allo stesso modo.
30 = **THIRTY**
40 = **FORTY**
50 = **FIFTY**
60 = **SIXTY**
70 = **SEVENTY**
80 = **EIGHTY**

90 = **NINENTY**
100 = **ONE HUNDRED**
101 = **ONE HUNDRED AND ONE** (ricorda: dopo le centinaia si aggiunge **and** e poi decine e unità)
200 = **TWO HUNDRED** (non va aggiunta la S del plurale a *hundred*)
300 = **THREE HUNDRED**
e così via.
1000 = **ONE THOUSAND**
1001 = **ONE THOUSAND AND ONE**
1101 = **ONE THOUSAND ONE HUNDRED AND ONE**
10,000 = **TEN THOUSAND**
100,000 = **A HUNDRED THOUSAND**
1,000,000 = **ONE MILLION**

I numeri **ordinali** sono:
FIRST (1ST) = primo
SECOND (2ND) = secondo
THIRD (3RD) = terzo
Dal quarto al ventesimo, a tutti i numeri basta aggiungere "TH" (senza nota) alla fine. Fai bene attenzione a come si scrivono in forma estesa:
FOURTH (4TH) = 4°
FIFTH (5TH) = 5°
SIXTH (6TH) = 6°
SEVENTH (7TH) = 7°
EIGHTH (8TH) = 8°
NINTH (9TH) = 9°
TENTH (10TH) = 10°
ELEVENTH (11TH) = 11°
TWELFTH (12TH) = 12°
THIRTEENTH (13TH) = 13°
FOURTEENTH (14TH) = 14°
FIFTEENTH (15TH) = 15°
SIXTEENTH (16TH) = 16°

SEVENTEENTH (17TH) = 17°
EIGHTEENTH (18TH) = 18°
NINETEENTH (19TH) = 19°
TWENTIETH (20TH) = 20°
Da qui in poi, fai come per i numeri cardinali; è sufficiente unire decine e unità.
TWENTY-FIRST (21ST) = 21°
TWENTY-SECOND (22ND) = 22°
TWENTY-THIRD (23RD) = 23°
TWENTY-FOURTH (24TH) = 24°
e così via.

BLOCK FIVE

(9) VEGETABLES

VERDURA

CARROT = carota
CUCUMBER = cetriolo
MUSHROOM = fungo
ONION = cipolla
PEAS = piselli
PEPPER = peperone
POTATO = patata
TOMATO = pomodoro

BLOCK FIVE

(10) PLURALS – EXCEPTIONS

PLURALI – ECCEZIONI

Dato che sembrava troppo semplice fare il plurale solo aggiungendo una "S", qualche inglese ha deciso di complicare un po' le cose con alcuni vocaboli che seguono delle regole speciali. Devi fare attenzione alla lettera con cui finisce una parola per capire come diventa al plurale.

Queste sono le regole:

Regola	Singolare	Plurale	Italiano
Se la parola termina per -Y preceduta da consonante, si cambia la Y in I e si aggiunge -ES	Cherry Baby Lady	**Cherries** **Babies** **Ladies**	Ciliegia Bebè Signora
Se la parola termina per -S, -SS, -CH, -SH, -X oppure -O (preceduta da consonante), si aggiunge -ES	Bus Glass Peach Flash Box Tomato	**Buses** **Glasses** **Peaches** **Flashes** **Boxes** **Tomatoes**	Autobus Bicchiere Pesca Bagliore Scatola Pomodoro
Se la parola termina per -F oppure -FE, si cambia la F in V e si aggiunge -ES	Wolf Wife	**Wolves** **Wives**	Lupo Moglie

E poi ci sono alcune parole particolari che non seguono nessuna di queste regole. Le più importanti sono:

MAN — MEN = uomo – uomini
WOMAN — WOMEN = donna – donne
CHILD — CHILDREN = bambino – bambini
TOOTH — TEETH = dente – denti
FOOT — FEET = piede – piedi
MOUSE — MICE = topo – topi
FISH — FISH = pesce – pesci
SHEEP — SHEEP = pecora – pecore

BLOCK FIVE

AGGETTIVI

Mentre in italiano non ci sono particolari regole riguardo l'ordine di successione degli aggettivi, in inglese bisogna rispettare una precisa sequenza. La lista è lunga, ma non capita mai di dover dire insieme sette o otto aggettivi, quindi ti indico solo tre categorie:

1 OPINIONE (bello, brutto, simpatico, ecc.)
2 ETÀ (giovane, vecchio, antico, ecc.)
3 COLORE (rosso, blu, bianco, ecc.)

Una bella macchina nuova rossa = **A beautiful new red car**

BLOCK FIVE

(12) ISN'T THERE?

NON C'È?

Per formare l'interrogativa negativa di *there is* e *there are* è molto semplice: parti dalla **forma affermativa** *(there is, there are)*, aggiungi **NOT** *(there isn't, there aren't)*, inverti la posizione dei *building blocks*, quindi automaticamente aggiungi il punto di domanda. Risultato:

ISN'T THERE ... ? / AREN'T THERE ... ?

BLOCK SIX

(13) RELATIVES

PARENTI

COUSIN = cugino/a
NEPHEW = nipote maschio (di zii)
NIECE = nipote femmina (di zii)
GRANDPARENTS = nonni
GRANDSON = nipote maschio (di nonni)

GRANDDAUGHTER = nipote femmina (di nonni)
GREAT-GRANDMOTHER = bisnonna
GREAT-GRANDFATHER = bisnonno
THE IN-LAWS = i parenti acquisiti
BROTHER-IN-LAW = cognato
SISTER-IN-LAW = cognata
FATHER-IN-LAW = suocero
MOTHER-IN-LAW = suocera
PARENTS-IN-LAW = suoceri
SON-IN-LAW = genero
DAUGHTER-IN-LAW = nuora
STEP-BROTHER = fratellastro – fratello acquisito
STEP-SISTER = sorellastra – sorella acquisita
STEP-SON = figliastro – figlio acquisito
STEP-DAUGHTER = figliastra – figlia acquisita

BLOCK SEVEN

(14) POSSESSIVE CASE

GENITIVO SASSONE

Ci sono alcuni casi particolari:
• ai sostantivi plurali che terminano per -S bisogna aggiungere **solo l'apostrofo**. Per esempio:
The schoolgirls' books. (I libri delle studentesse.)
Her cats' food. (Il cibo dei suoi gatti.)
• ai nomi propri che terminano per -S si può aggiungere sia **'S** sia **solo l'apostrofo**. Per esempio:
Mr. Williams's pen. (La penna del signor Williams.)
Mr. Williams' pen. (La penna del signor Williams.)
Con il genitivo sassone si possono sottintendere le parole *house* (casa) e *shop* (negozio). Per esempio:
See you at granny's. (Ci vediamo a casa della nonna.) *House* è sottinteso.
Go to the baker's, please. (Vai dal panettiere, per favore.) *Shop* è sottinteso.

BLOCK SEVEN

(15) PARTS OF THE FACE

PARTI DEL VOLTO

Eccoti un elenco più dettagliato delle parti che riguardano il volto e la testa:

CHEEK = guancia
CHIN = mento
EAR = orecchio
EYE = occhio
EYEBROW = sopracciglio
EYELASHES = ciglia
EYELID = palpebra
FACE = faccia
FOREHEAD = fronte
GUM = gengiva
HAIR = capelli
HEAD = testa
LIPS = labbra
MOUTH = bocca
NOSE = naso
TEETH = denti
TONGUE = lingua
TOOTH = dente

Alcuni segni particolari:

BEARD = barba
FRECKLES = lentiggini
MOUSTACHE = baffi
WRINKLES = rughe

Infine alcuni aggettivi per descrivere i capelli:

COLOUR (colore): **black** (neri), **blond** (biondi), **brown** (castani), **grey** (grigi), **red** (rossi), **white** (bianchi)
LENGTH (lunghezza): **long** (lunghi), **medium** (medi), **short** (corti)
TYPE (tipo): **curly** (ricci), **straight** (lisci), **wavy** (mossi)

BLOCK EIGHT

(16) ADVERBS

AVVERBI

Nella costruzione degli avverbi, fai attenzione ad alcuni casi particolari:

• Se un aggettivo termina per -Y, si cambia la Y in I e si aggiunge -LY.

Happy (felice) – **Happily** (felicemente)

• Se un aggettivo termina per -LE preceduto da consonante, si toglie la E e si aggiunge -LY.

Humble (umile) – **Humbly** (umilmente)

• Se un aggettivo termina per -LL, si aggiunge solo la -Y.

Full (pieno) – **Fully** (pienamente)

BLOCK EIGHT

(17) MORE PREPOSITIONS

ALTRE PREPOSIZIONI

Eccoti altre preposizioni; puoi leggere una frase di esempio per ciascuna.

= **SOPRA** (senza contatto)

The sun is above the mountain. (Il sole è sopra la montagna.)

= **ATTRAVERSO**, da una parte all'altra (senza penetrazione)

I walk across the park. (Cammino attraverso il parco.)

AGAINST = **CONTRO**

I'm against the war. (Sono contro la guerra.)

AROUND = **INTORNO**, attorno

The red scarf is around her neck. (La sciarpa rossa è intorno al suo collo.)

BELOW = **AL DI SOTTO**, inferiore a, sotto

The temperature is below zero. (La temperatura è sotto zero.)

= **OLTRE**

There's a rainbow beyond that hill. (C'è un arcobaleno oltre quella collina.)

DOWN = **GIÙ**, basso

Put it down! (Mettilo giù!)

THROUGH = **ATTRAVERSO**, entrando da una parte e uscendo dall'altra (con penetrazione)

The bullet went through his body. (La pallottola è passata attraverso il suo corpo.)

UP = **SU**

Go up. (Vai su.)

SOLUZIONI

BLOCK TWO

ESERCIZIO 1

1 Hi, I'm Affranta, nice to meet you.
2 Good morning Affranta.
3 Good afternoon, I'm Allegra.
4 Oh! Hi Allegra, nice to meet you.
5 Good night!

ESERCIZIO 2

1 Sorry, but you're too **SAD**.
2 Sorry, but you're too **ANGRY**.
3 Sorry, but you're too **CONFUSED**.
4 Sorry, but you're too **TIRED**.
5 Sorry, but you're too **CRAZY**.
6 Sorry, but you're too **SHY**.

BLOCK THREE

ESERCIZIO 3

1 It's warm and it's three o'clock.
2 It's windy and it's a quarter to two.
3 It's six o'clock and it's cold.
4 It's sunny and it's half past four.
5 It's hot and it's two o'clock.

ESERCIZIO 4

1 This is my grandfather. Here, he is **RELAXED**.
2 This is my grandmother. Here, she is **ANGRY**.
3 This is my mother. Here, she is **WORRIED**.
4 This is my father. Here, he is **SCARED**.

ESERCIZIO 5

1 Sorry, but you're too **OLD**.
2 Sorry, but you're too **YOUNG**.

3 Sorry, but you're too **TALL**.
4 Sorry, but you're too **FAT**.
5 Sorry, but you're too **SMALL**.
6 Sorry, but you're too **THIN**.

ESERCIZIO 6

1 She's so beautiful!
2 You're a bit shy.
3 They're too drunk, so we're a bit angry.
4 I'm so happy!
5 He's too hungry, too.
6 This is Tom; he's tall.
7 Those are too angry.
8 Janet is too crazy.
9 I'm a bit tired but I'm happy.
10 So, how are you?

ESERCIZIO 7

1 He's short and angry.
2 He's old and tired.
3 She's thin and happy.
4 He's drunk and short.
5 They're big, strong and confident.
6 He's young and shy.
7 We are fat and lazy.
8 I'm tired but happy.

ESERCIZIO 8

1 You like pizza.
2 I'm like you.
3 I like my job.
4 She likes Richard.
5 He eats like a horse.

6 He likes coffee.
7 They like animals.
8 They like my old small house.
9 He dances like a bear.
10 They're like animals.

BLOCK FOUR

ESERCIZIO 9

1 No, she isn't.
2 No, he isn't.
3 Yes, I am / No, I'm not.
4 Yes she is.
5 No, they aren't.
6 No, it isn't.
7 Yes, they are.
8 Yes, they are.
9 Yes, she is.
10 Yes, she is.
11 No, they aren't.
12 Yes, she is.
13 No, he isn't.
14 No, he isn't.
15 No, he isn't.
16 No, she isn't.
17 No, she isn't.
18 No, it isn't.

ESERCIZIO 10

1 A: Hi!
2 G: Hello.
3 A: You're beautiful! What's your name? Where are you from?
4 G: Gertrude, I'm German and bored, and you?
5 A: I'm Alain Delon, I'm young, happy and I'm French.

6 G: What time is it, please?
7 A: It's sunny!
8 G: What time is it, please?
9 A: It's two o'clock.
10 G: Thanks.
11 A: You're too thin. Are you hungry?
12 G: No, thank you Alain. I'm just bored.
13 A: Oh Gertrude! I'm too crazy and drunk. Maybe I love you.
14 G: You're so romantic and so handsome, but you're French. I'm sorry.
15 A: You're not drunk. Drink, drink!
16 G: It's hot and windy. The night is so romantic... Where is your brother?
17 A: My two brothers aren't here because they're sad and tired.
18 G: I'm not drunk and I'm not stupid, I'm not German and I'm not a woman.
19 A: So, what are you?
20 G: I'm bored.

BLOCK FIVE

ESERCIZIO 11

1 A red apple.
2 A green pear.
3 A yellow banana.
4 A red cherry.
5 A black blackberry.
6 A red strawberry.
7 A yellow lemon.
8 A purple plum.

ESERCIZIO 12

1 There are three purple plums.
2 There is a *(oppure* one*)* red cherry and two green apples.
3 There is a *(oppure* one*)* yellow lemon, a *(oppure* one*)* black blackberry and a *(oppure* one*)* red strawberry.
4 There are two green pears and a *(oppure* one*)* yellow banana.

ESERCIZIO 13

*** **Part 1**

J: Good morning.

G: Good morning. How are you?

J: Fine, thank you. And you?

G: No, my dog is in hospital, my wife is crazy, there is no money in my pocket, my face is ugly...

*** **Part 2**

J: Are you English?

G: Yes, why? Are you the police?

J: Bananas.

G: Sorry?!

J: I want two bananas.

G: Please.

J: Please what?

G: I want two bananas PLEASE!

*** **Part 3**

G: Good afternoon, sir.

J: Senti, non sono qua per litigare, offenderti o niente di simile. Capisci?

G: Sì, ho capito. Vai!

J: Bananas?

G: Yes, there are bananas in this shop.

J: How big are they?

G: They are very big and they are very brown.

J: Brown? Why are they brown?

G: Because they are old.

J: They are not brown, they are black! How old are they?

G: Very old.

J: Give me two green apples, please.

G: There are no green apples in this shop. There are only brown and black apples.

J: Ok, ok. Give me two green pears, please.

G: Ok.

J: Those pears are white! Why?

BLOCK SIX

ESERCIZIO 14

1 Hello, I live in Rome.
2 You live in Florence. Nice to meet you.
3 We live in Venice, are you angry?
4 You live in London. Are you happy?
5 They live in Naples, they are lucky.
6 She lives in Paris. Paris is beautiful.
7 He lives in Berlin, he's in love.
8 She lives in Athens, it's hot.
9 Barcelona is beautiful, I live there.
10 Milan is grey but I'm happy because I live here.

ESERCIZIO 15

1 He is with her.
2 We are with them both.
3 They both are with us.
4 I'm with them but (I'm) not with him and her.
5 You are with us.
6 He is with me.
7 She isn't with me.
8 They're with them.
9 They're with her.
10 He isn't with me.

ESERCIZIO 16

1 Why is there a cat with Susy on the bed?
2 Because Susy is a cat, too.
3 Why are there two crazy women with us?
4 Because we are nice.
5 Why is there an ugly man with her?
6 Because she's ugly, too.
7 Why is she with her grandmother in the disco?

8 Because her grandfather is not well.
9 Why are you here without your glasses?
10 Who are you?

ESERCIZIO 17

1 R: Wow! Is that your bag?
2 B: Yes, I love my bag. I live with it.
3 R: I'm in love with your bag!
4 B: Thanks... but my bag is with me, it isn't with you!
5 R: Yes, but now I'm with you so it's our bag...
6 B: No, no... we're happy without you.
7 R: Why are you so angry?
8 B: Because you and those women want my bag.
9 R: I'm not with them but I want your bag!
10 B: Why?
* * *
11 R: Look! What beautiful shoes!
12 B: Who?
13 R: That tall woman.
14 B: She lives with my friend, she's very nice.
15 R: The tall woman is sad, why?
16 B: Because she lives with my friend; he's old, crazy and without shoes.
17 R: He's not crazy, I'm in love with him. You're stupid!!!
18 B: You're always angry. Why?
19 R: Give me that bag!
20 B: No!

ESERCIZIO 18

1 I'm Giovanni. I'm with my sister. She's not my wife.
2 He's with his girlfriend at the restaurant.
3 You are my love. I'm sad without you.
4 I love your eyes. Not his eyes, not their eyes, only your eyes.
5 She's with her lover.

6 I love my car. It's beautiful.
7 They love their mother.
8 He loves their mother.
9 Their mother loves him.
10 Our father is with his lover.

BLOCK SEVEN

ESERCIZIO 19

1 I have (got) four red strawberries with me.
2 Have you got a basket, please? – Yes, I have.
3 Do you have a girlfriend? What's her name?
4 She's sad because he hasn't got a new car.
5 We have (got) two horses but we don't have a hamster.

ESERCIZIO 20

1 If you want to have fun, have a party.
2 When I'm hungry, I have a snack.
3 If I'm tired, I have a nap.
4 When I'm very tired, I have a holiday.
5 If my daughter is sad, I have a chat with her.
6 When I have no food, I have dinner with my friends.
7 If I'm hungry at 12 o'clock, I have lunch.
8 When you want to think, have a walk.

ESERCIZIO 21

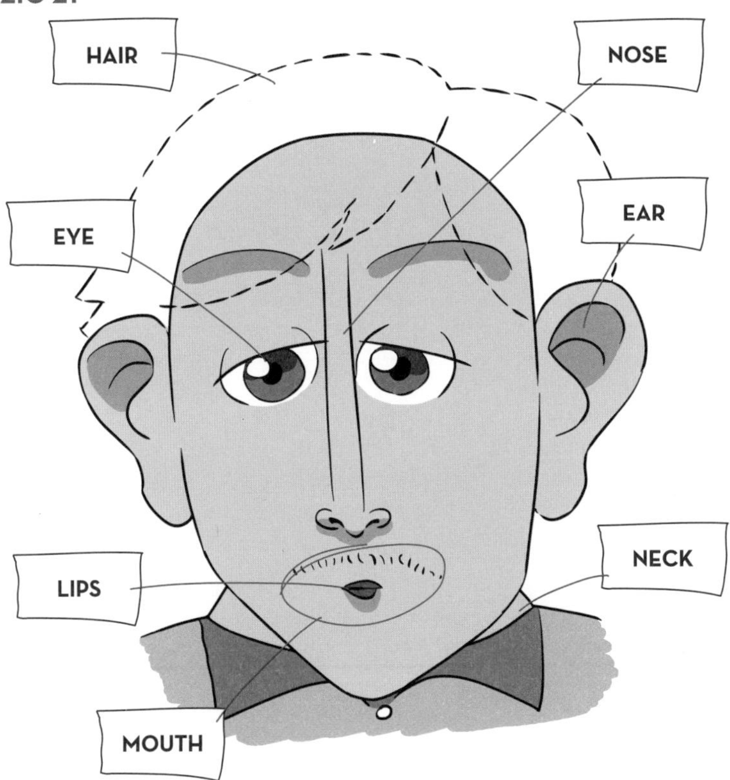

ESERCIZIO 22

1. I am happy because I have (got) a green hat.
2. She is fat because she has (got) a cake shop.
3. He is sad because he hasn't got any money.
4. She's angry because her father hasn't got a car.
5. We are tired but happy because we have lots of jobs.
6. They are sad because they haven't got any tickets for Vasco.
7. Vasco is fortunate (lucky) because he has got lots of fans.
8. The Hilton family is very rich because they have lots of hotels.
9. You are stupid because you haven't got a hotel.
10. I am lucky because I'm with you.

ESERCIZIO 23

*** **Part 1**

TDN: You've got 10 minutes.
J: Have you got any bananas?
TDN: Yes, I have.
J: Are they yellow?
J: Give me two bananas, please.
J: Give me some pears, please.
TDN: How many?
J: How many have you got?
TDN: Ten.

*** **Part 2**

TDN: You've got four minutes.
J: Just four minutes?!

BLOCK EIGHT

ESERCIZIO 24

1 Hey! I've got two goats and two cows. So?
2 I've got three pigs, five bulls and a new dog. And so?
3 Buuuh! They've got old animals. I've got thirteen chickens and seventy bees.
4 What? I've got seventeen big horses and a small monkey without bananas!
5 Hey! Don't forget! I've got forty camels including my wife.
6 Yes but I've got a wife and a crocodile; they both have got the same mouth.
7 My black rabbits are beautiful and my sheep are so nice.
8 No, you haven't got black rabbits or nice sheep.
9 Why?
10 Ask my new wolf.

ESERCIZIO 25

1 Wow! You are really beautiful!
2 You are really beautiful too!
3 So, how are you? Mamma mia! Your bag is really new! Is it a Praga?
4 Yes, it is! And it's very expensive, too.

5 You're very lucky! Now have a look at my new coat...
6 It's really beautiful!
7 Yes, it's really beautiful but it's too big.
8 Not for you. For me it's really big, but for you it's ok because you're not very thin, come on...
9 Excuse me?
10 It's not too big for you, it's perfect!
11 Ah! Imma, my really short and really poor friend (without a Praga) thinks I am really fat.
12 You're very fat now.
13 I'm not fat, I'm pregnant. And the father is your husband. Ah ah ah!
14 Really?

ESERCIZIO 26

1 He's at the bar with his friend.
2 I'm at the entrance of the station.
3 My ketchup is on his table.
4 He lives on the sixth floor.
5 There is a crazy woman in his apartment.
6 I'm now in my car on the road to Rome.
7 There is a ghost on the bed in this house.
8 He's at the cinema at the end of the street.
9 She works on the bus in London.
10 At the centre of Lecce there is a statue at the end of the road.

ESERCIZIO 27

1 A two in the afternoon I sleep.
2 At dinner time I'm really hungry and really tired.
3 At bedtime Concy reads a book in bed.
4 I always have a party on my birthday.
5 On Saturdays I go to the park with my dog.
6 I always wash my feet on Sundays.
7 We are in the 21st century but Concy is still in her world of princes, frogs and horses. She still lives in the past.

8 It's fashion week in Milan and Concy is really happy. I am depressed.
9 She is still in the car.

ESERCIZIO 28

1 Oh no! I'm locked out of my house. It's normal in my crazy house.
2 Why am I here? Because Concy is out of her mind.
3 I was under the table in the kitchen with our dog.
4 My mother in England sleeps in her bedroom and her cat sleeps under her bed.
5 I always sleep in my bedroom and my dog sleeps on my bed.
6 Beside my bed there is a photo of you.
7 Among my stuffed animals there is a camel and a shark.
8 Concy is in my office now and I'm behind the curtains.
9 Concy is now in front of the curtains.
10 Concy is now in front of me.

ESERCIZIO 29

1 You go to school to learn.
2 He goes on holiday to relax.
3 He goes to the restaurant to eat.
4 She goes to the restaurant for the waiter.
5 I go to Sardinia for the sea.
6 They go to London to see the Queen.
7 We go to London for the food.
8 He goes to the park for the dog.
9 I go to the park to sleep.
10 She goes there for him, he goes there to be with her.

ESERCIZIO 30

1 In the bathroom there is: one shower, two towels and one toilet.
Where is John? John is behind the door and the monkey is in the toilet.
2 In the living room there is: one sofa, one coffee table, two windows and a TV.
Where is John? John is on the sofa in front of the TV. The monkey is behind the sofa.

3 In the kitchen there is: one table, four chairs, one sink and one oven. Where is John? John is under the table and the monkey is in the oven.
4 In the garden there is: one garage, one tree, one front door and one wall. Where is John? John is under a car in the garage. The monkey is beside the wall.

ESERCIZIO 31

1 I go to the market on Mondays.
2 I go to the cinema with my dad.
3 I take my dog to the park on Sundays.
4 My mum goes to the market on Tuesdays without me.
5 I go to the beach at weekends in the summer with my friend.
6 She comes back from work every day at eight in the evening.
7 The flight from Santo Domingo arrives at two in the afternoon.
8 I run away from home every Wednesday.
9 Elton John comes from London.
10 Their son comes back from school at four in the afternoon.
11 I can see the sea from my window.
12 He goes into the bar to have a drink.
13 I want to go into the yellow submarine.
14 In the morning Concy puts some salt into my coffee.
15 Concy's mum comes into my house when I'm not there.
16 Jump onto the boat! I'm scared.
17 I try to climb onto the bed.
18 He needs to climb onto the chair to kiss her.
19 It fell onto the balcony.
20 Put that carpet onto the floor, please.

ESERCIZIO 32

1 I've got too much free time.
2 Please open the window it's too hot in here.
3 Too many people live in this house.
4 She drinks too much whisky.
5 There is too much salt in this pasta.

6 I'm too busy to meet you today or any other day, sorry.
7 I'm too tired to get out of bed this morning.
8 There are too many bees in the park today.
9 You are too tall!
10 I am too late to go there.

ESERCIZIO 33

1 At nine in the morning Concy is in front of her wardrobe.
2 Then she puts her red blouse on and her black skirt.
3 Then she takes her shoes off and puts my yellow T-shirt on.
4 Then she takes the skirt off and she puts my green trousers on.
5 Then she puts my trainers on and she takes my yellow T-shirt off.
6 Then she puts my new coat on with her old bag.
7 At ten Concy is in the bathroom in front of the mirror.
8 Then she takes the coat off and the bag and puts her pink jacket on.
9 Then she takes my shoes off and puts her orange boots on.
10 At half past ten Concy takes my wallet.

BLOCK NINE

ESERCIZIO 34

1 I get angry when you shout.
2 I get shy when I see you.
3 I get sad when you cry.
4 I get bored when you talk.
5 I get tired when I work.
6 I dance and sing when I get drunk.
7 I get rich when you work.
8 When I get hungry, I eat.
9 When I get thirsty, I drink.
10 I get stressed when I drive in Naples.

ESERCIZIO 35

1 She gets sleepy when she drinks.
2 We get angry when we are hungry.
3 I get drunk with you both.
4 He gets drunk with you all.
5 They get silly when they drink with you.

ESERCIZIO 36

1 There is too much snow, my son can't get to school.
2 Gino always gets to work late.
3 Gino always gets to the pub early.
4 Pino always gets to work by bus.
5 Pina can't get to work today.
6 Today I can't get to the gym because it's raining.
7 She always gets to me late.
8 Pino always gets to the stadium on time.
9 I never get to the phone on time.
10 I always get to the centre on foot.

ESERCIZIO 37

You are nobody.
You are nothing.
You've got nothing.
But you are everything to me.
There is nobody.
There isn't anyone.
Nobody, like you.
There is something to say.
You've got nothing.
But you are everything to me.
Maybe somewhere.
Anywhere.
There is someone like you.

No, nowhere.
And I go everywhere without you.
I'm nobody.
But there is something.
I have everything but you.

ESERCIZIO 38

1. After dinner I'm going out.
2. During the winter I don't go out.
3. I'm not happy until I see you.
4. As long as you stay with me.
5. I work for five weeks.
6. As long as you are here, I'll be happy.
7. I can wait up to five days.
8. I want you to finish by four.
9. It's not Christmas yet.
10. I'll see you between Monday and Wednesday.

ESERCIZIO 39

I get up in the morning, I have a shower, I get dressed, I have my breakfast. At 12 o'clock I get hungry, so I have my lunch. At 3 o'clock in the afternoon I have a meeting with my boss, at 6 o'clock I go home, I have my dinner, I get undressed. In the evening I watch TV. At midnight I go to bed. During the night I have a dream about Birmingham City winning the Premiership again.

ESERCIZIO 40

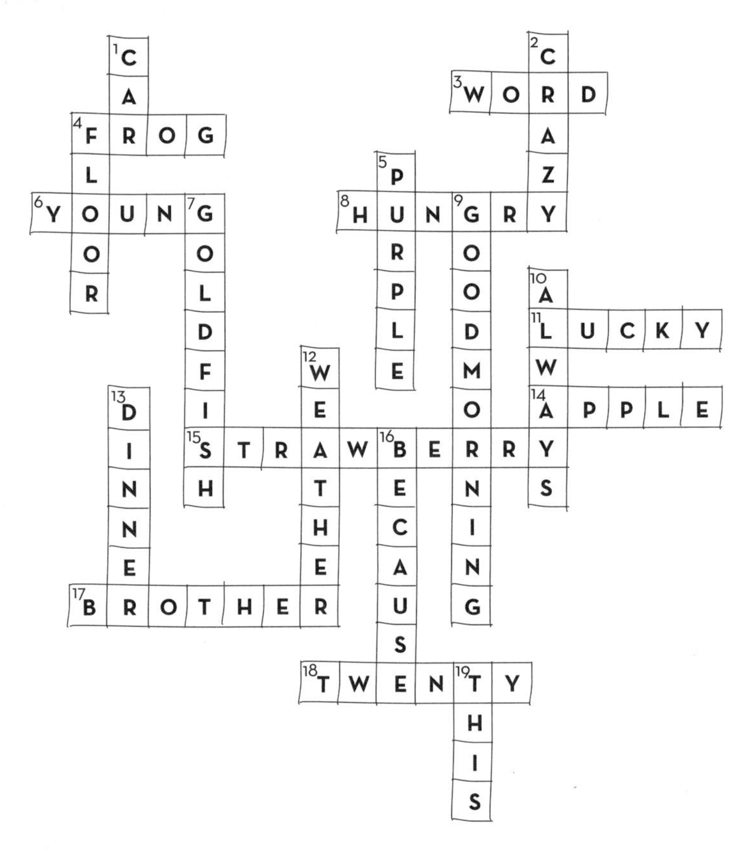

IRREGULAR VERBS

Italiano	**Base form**	**Simple Past**	Past Participle
battere	**BEAT**	**BEAT**	BEATEN
diventare	**BECOME**	**BECAME**	BECOME
iniziare	**BEGIN**	**BEGAN**	BEGUN
mordere	**BITE**	**BIT**	BITTEN
rompere	**BREAK**	**BROKE**	BROKEN
portare	**BRING**	**BROUGHT**	BROUGHT
costruire	**BUILD**	**BUILT**	BUILT
comprare	**BUY**	**BOUGHT**	BOUGHT
afferrare	**CATCH**	**CAUGHT**	CAUGHT
venire	**COME**	**CAME**	COME
costare	**COST**	**COST**	COST
tagliare	**CUT**	**CUT**	CUT
fare	**DO**	**DID**	DONE
bere	**DRINK**	**DRANK**	DRUNK
guidare	**DRIVE**	**DROVE**	DRIVEN
mangiare	**EAT**	**ATE**	EATEN
cadere	**FALL**	**FELL**	FALLEN
sentire (sentimento)	**FEEL**	**FELT**	FELT

combattere	**FIGHT**	**FOUGHT**	FOUGHT
trovare	**FIND**	**FOUND**	FOUND
ottenere	**GET**	**GOT**	GOTTEN
dare	**GIVE**	**GAVE**	GIVEN
andare	**GO**	**WENT**	GONE
avere	**HAVE**	**HAD**	HAD
sentire	**HEAR**	**HEARD**	HEARD
tenere	**KEEP**	**KEPT**	KEPT
conoscere	**KNOW**	**KNEW**	KNOWN
giacere	**LAY**	**LAID**	LAID
lasciare	**LET**	**LET**	LET
perdere	**LOSE**	**LOST**	LOST
fare	**MAKE**	**MADE**	MADE
significare	**MEAN**	**MEANT**	MEANT
incontrare	**MEET**	**MET**	MET
pagare	**PAY**	**PAID**	PAID
mettere	**PUT**	**PUT**	PUT

leggere	**READ**	**READ**	READ
correre	**RUN**	**RAN**	RUN
dire	**SAY**	**SAID**	SAID
vedere	**SEE**	**SAW**	SEEN
vendere	**SELL**	**SOLD**	SOLD
mandare	**SEND**	**SENT**	SENT
fissare	**SET**	**SET**	SET
cantare	**SING**	**SANG**	SUNG
sedere	**SIT**	**SAT**	SAT
dormire	**SLEEP**	**SLEPT**	SLEPT
parlare	**SPEAK**	**SPOKE**	SPOKEN
rubare	**STEAL**	**STOLE**	STOLEN
nuotare	**SWIM**	**SWAM**	SWUM
prendere/portare	**TAKE**	**TOOK**	TAKEN
insegnare	**TEACH**	**TAUGHT**	TAUGHT
dire	**TELL**	**TOLD**	TOLD
pensare	**THINK**	**THOUGHT**	THOUGHT
capire	**UNDERSTAND**	**UNDERSTOOD**	UNDERSTOOD
vincere	**WIN**	**WON**	WON
scrivere	**WRITE**	**WROTE**	WRITTEN

CHI È JOHN PETER SLOAN?

John Peter Sloan è nato a Birmingham, in Inghilterra, nel 1969. È un artista eclettico a tutto tondo: attore brillante, autore, cantante rock e *stand-up comedian*. All'età di 16 anni ha lasciato la sua patria e ha viaggiato per l'Europa accompagnato dalla sua chitarra e dalla sua voce. Nel 1990 è approdato in Italia e ha fondato un gruppo rock chiamato "The Max".
Ha cantato e suonato con la band fino al 2000, quando è nata sua figlia. Ha deciso quindi di interrompere il suo tour e di dedicarsi all'insegnamento della lingua inglese. Le parole "normalità" e "banalità" non fanno parte del dizionario di John che, dotato di uno spiccato *sense of humour*, ha stravolto i canoni dell'insegnamento della lingua inglese in Italia. Ha iniziato con degli show educativi in inglese nel celeberrimo tempio della comicità italiana Zelig; in seguito ha scritto diversi spettacoli teatrali che lo vedono protagonista. *I'm not a Penguin* è ora in tour nei maggiori teatri italiani.
È l'autore di *Instant English*, attualmente il manuale di inglese più venduto in Italia e bestseller in Francia, Germania e Spagna. A seguire altri quattro libri che sono sempre primi nella classifica delle vendite: *Instant English 2, English al lavoro, Lost in Italy* e *English in viaggio*.
Contemporaneamente ha ideato tre collane video *Speak Now!, Speak Now! Evolution* e *Speak Now! for Work* vendendo due milioni di copie; una collana di audio-libri; infine ha collaborato con Pearson Longman Edizioni Scolastiche scrivendo degli ausili didattici per le scuole medie. In queste pubblicazioni John insegna recitando, coadiuvato da un cast di attori comici inglesi e italiani attraverso degli sketch comici.
Grammatica e comicità con John vanno a braccetto: il denominatore comune delle sue opere è l'insegnamento con il sorriso. La sua *verve* non è passata inosservata, infatti appare regolarmente ospite in diversi programmi radiofonici e televisivi nazionali (Amici, Mattino Cinque, La vita in diretta) condividendo le sue opinioni spiritose su varie tematiche; i giornali italiani lo definiscono "l'inglese più amato in Italia". Ha ultimamente doppiato uno dei protagonisti del film Disney Pixar *Planes*.
Quando non è impegnato sul palco o al computer, John trascorre il suo tempo nelle sue scuole di Milano e Roma (www.jpscuola.it).
Attualmente si sta dedicando alla sua prossima missione per il 2014: insegnare l'inglese ai bambini.

Arnoldo Mondadori Editore S.p.A.

Questo volume è stato stampato
presso ELCOGRAF S.p.A
Via Mondadori, 15 - Verona

Stampato in Italia - Printed in Italy